CUNO
2009

CUNO
250 LEKKERE WIJNEN VAN 5 TOT 10 EURO
2009

CUNO VAN 'T HOFF

KOSMOS

Kosmos Uitgevers, Utrecht/Antwerpen

KOSMOS

www.kosmosuitgevers.nl

www.cuno2009.nl

© 2008 Kosmos Uitgevers B.V., Utrecht/Antwerpen
© 2008 Cuno van 't Hoff
omslagontwerp Oranje Vormgevers, Eindhoven
vormgeving Oranje Vormgevers, Eindhoven

ISBN 978 90 215 3553 1
NUR 440

Inhoud

Ik heb het leukste beroep ter wereld. Echt! Stel je eens voor: je mag de hele dag bezig zijn met wijn en eten. En je wordt er nog voor betaald ook. Vervolgens mag je het ook nog eens de hele dag door, over de hele wereld proeven, al die wijn en al dat eten. Welke de beste is, wat het lekkerst is, wie de kunst van de wijn en de gastronomie écht snapt. Maar ook waar de kunst het van de techniek heeft verloren. Oké, dat laatste is minder. Veel minder, maar toch. Ik heb het mooiste vak ter wereld. Vooral omdat ik jou mag laten proeven waar de lekkerste wijnen tussen de 5 en de 10 euro te krijgen zijn.

1 + 1 is toch écht 3

Mijn lijstje met ultieme lekkerbek-wijnen groeide de afgelopen jaren gestaag. Wat na verloop van tijd opviel in die lijst, is dat de meeste wijnen, wijnen die ik graag met vrienden en familie met volle teugen drink, zich allemaal tussen de magische grens van 5 en 10 euro bevinden. Hoe kan dat?

Het principe is simpel, realiseerde ik me na enige tijd. Wijnen onder die grens hebben een relatief hoge kostenkant. Het 'vaste materiaal', zullen we maar zeggen, woog te zwaar om er een kwalitatief goede wijn in te stoppen. 'Vast', daar bedoel ik mee: de fles, het etiket, de kurk, de transportkosten en de accijns. Dingen die de kwaliteit van mijn wijn uiteindelijk helemaal niet bepalen.

Want wat willen wij wijngenieters? Een zo hoog mogelijke kwaliteit in vloeibare vorm.

Toen ben ik eens gaan rekenen: welke kosten blijven constant, en welke kosten zijn relatief? Om kort te gaan, alleen de wijn is een relatieve kostenpost. Oftewel: als ik iets meer geld uitgeef aan een fles wijn, geef ik letterlijk meer geld uit aan de wijn en niet aan de fles, het etiket etcetera.

Globaal rekensommetje? Stel: je koopt een fles wijn van € 5. Daar gaat 19% btw vanaf, gemiddeld € 2,50 gaat naar de fles, label, kurk, marketing, transport en tussenhandel en zo'n € 0,50 naar de accijns. Wat houden we dan over? Nog geen € 1,50 aan wijn. Wat op zich al een rare gedachte is. € 1,50 aan wijn in een fles. Moet je je eens voorstellen wat de wijnindustrie daarvoor moet doen: Druivenplantje planten, druiven laten groeien, druiven onderhouden, plukken, wijn maken, in de fles stoppen etcetera. En dan moet die arme wijnimporteur het in Nederland ook nog verkopen. Ik kan me amper voorstellen dat je voor € 1,50 al dat werk op een goede manier kunt doen, en dat er dan ook nog lekkere wijn in die fles zit.

Nu zeg jij, kom, ik doe eens gek. Ik wil een wijn die twee keer zo lekker is. Een weldenkend mens gaat naar de winkel en koopt een fles voor € 10. FOUT! Dat hoeft dus niet.

Twee keer zo lekkere wijn voor maar een klein beetje meer geld

Ervan uitgaand dat alle vaste kosten ongeveer gelijk blijven (oké, de btw is wat meer), hoef je slechts € 1,50 extra uit te geven om voor € 3 échte wijn in de fles te hebben! Reken maar na.

Kortom, koop je een fles van € 6,50, dan heb je in de regel (niet altijd natuurlijk, want er zijn nog altijd wijnboerenboeven die troep in de fles gooien en het voor veel te veel geld verkopen) twee keer zo lekkere en twee keer zo goede wijn!

En kijk, daar houden wij van. Een klein beetje meer uitgeven en toch het dubbele aan kwaliteit in huis halen.

Aangezien ik altijd zo lekker mogelijke wijnen wil drinken die niet meteen een aanslag op m'n bankrekening zijn, en die wijnen graag doorvertel, was de keuze eenvoudig gemaakt: ik maak mijn lijst met de beste wijnen uit de supermarkt, de slijterijketens, de betere wijnspeciaalzaak én de online wijnwinkels openbaar en vat ze samen in deze wijnaankoopgids.

Cuno 2009 was geboren.

Van Albert Heijn tot Mitra en van Gall & Gall tot de wijnspeciaalzaak op de hoek

De wijnen die ik in *Cuno 2009* heb opgenomen zijn allemaal wijnen die ik lekker vind en die overal te koop zijn. Wijnen waarvan ik zeker weet dat jij er net zo van gaat genieten als ik. Ik heb ze allemaal meerdere keren geproefd, niet alleen om te weten of ze écht lekker zijn, maar ook of ze technisch in orde waren. Bij sommige was het de eerste keer meteen raak; andere moest ik nog een keer terugproeven om het echt zeker te weten. In totaal heb ik voor de gids zo'n 2000 wijnen geproefd. Daarvan zijn er 250 overgebleven. Wat niet wil zeggen dat de rest troep was, helemaal niet. Maar wat heb jij aan een gids waar het hele assortiment van alle supermarkten in staat? Nee, het gaat om de favorieten, de écht lekkere wijnen die ik graag adviseer aan de wijnliefhebber.

Wijnspeciaalzaak

We verwijzen je voor bepaalde wijnen vaak door naar de wijnspeciaalzaak. Wat is dat dan? Is dat iedere winkel waar een fles wijn over de toonbank gaat? Nee. Formeel luidt de definitie: iedere middenstander die voor het grootste deel van zijn omzet afhankelijk is van de verkoop van wijn. Ja, ammehoela, hoor ik je nu denken, wat weet ik van de omzet van zo'n zaak? Ik houd het simpel. Een wijnspeciaalzaak is een winkel waar voor het grootste gedeelte wijn wordt verkocht en waar een vakman of -vrouw achter de toonbank staat (en er nog vaker achter vandaan komt), die zijn hart en ziel in die wijn heeft zitten. Voor jou haalt hij die ene bijzondere wijn (die prijs/kwaliteit op en top in orde is) uit een van de vele wijngebieden. Hij heeft er vaak een mooi verhaal bij en bezit een berg aan vakkennis. Bij die wijnspeciaalzaak haal je de flesjes die in die categorie vallen. Heeft deze zaak ze niet, dan verwijzen ze je graag door naar een collega die hem wel heeft.

Binnenzak, boodschappentas en nachtkastje

Cuno 2009 bevat wijnaankoopadviezen. Ik geloof heel erg in persoonlijke smaak. Niet iedereen lust spruitjes, zo houd ik bijvoorbeeld niet van bier. Maar een wijn is goed of een wijn is fout. En als een wijn uitermate goed is, precies biedt wat hij moet bieden, voor een goede prijs in de schappen staat, goed verkrijgbaar is in Nederland en, *last but not least*, niet te stuiten zo lekker, dan krijgt hij een mooie plek in *Cuno 2009*.

Cuno 2009 hoort daarom ook thuis in iedere binnenzak en boodschappentas, en zelfs op ieder nachtkastje. Laat ik het zo zeggen: zonder *Cuno 2009* ga je eigenlijk de deur niet meer uit.

Hoe is de gids ingedeeld?

We hebben *Cuno 2009* niet ingedeeld vanuit de gedachte: ik beschrijf een wijn en die moet jij maar eens gaan opzoeken bij een willekeurige winkel. Nee, we zijn ervan uitgegaan dat de wijn op je normale boodschappenroute moet liggen. Dus ga jij vanavond je mandje volladen bij Appie, Jumbo of je lokale kruideniertje, dan sla je *Cuno 2009* open en kijk je welke lekkere wijnen je daar of in de directe omgeving kan halen.

Cuno's

Er staat geen wijn in deze gids die niet goed of niet lekker is, anders zou hij er natuurlijk nooit in zijn gekomen. Maar toch springt de ene wijn er net even iets meer uit dan de ander. Daarom hebben we de wijnen een kwalificatie meegegeven.

0 Cuno's	Een goede en lekkere wijn die je graag op een verjaardag in je glas krijgt of thuis voor *everyday use* hebt staan.
1 Cuno 🍷	Hé, deze wijn gaat even net wat verder. Bijzonder door afkomst, kwaliteit en/of inhoud. Zonder schroom zet je deze wijn op tafel en je hebt een mooie avond.
2 Cuno's 🍷🍷	Schaam je niet om deze wijn cadeau te doen aan je nieuwe schoonouders of je beste vriend of mee te nemen naar je eerste date. Hij is te lekker om er alleen van te genieten en ze zullen je ineens als een nog betere vriend gaan beschouwen.
3 Cuno's 🍷🍷🍷	Nu heb je de top in handen. Deze ga je dus niet cadeau doen, maar schaf je aan voor een mooi moment. Knieën-knikkend lekker. Alles klopt aan deze wijn. Hij is niet alleen van uitzonderlijk goede kwaliteit, nee, hij geeft je precies wat hij belooft. De juiste wijn voor de juiste prijs. Hiermee verleid je alles en iedereen. Een op en top sexy wijn!

Unieke sms-code

Toch komt het wel eens voor dat een bepaalde wijn maar op een paar plekken in Nederland verkrijgbaar is. Of dat die ene topper die jij vanavond aan je mond wil zetten alleen maar bij de betere wijnspeciaalzaak te koop is.

Geen nood. Iedere wijn die ik in dit boek beschreven heb, heeft een unieke sms-code. Met die code kun je exact achterhalen waar die wijn verkrijgbaar is, zo dicht mogelijk bij het postcodegebied waar je je op dat moment bevindt.

Hoe werkt het?

Sms het woord Cuno plus die unieke code én de postcode van de plaats waar je je bevindt naar nummer 3010 (de kosten per ontvangen bericht bedragen € 1,50, dit betreft geen abonnementsdienst). Je ontvangt dan per direct een sms met het dichtstbijzijnde verkoopadres.

Wil je bijvoorbeeld weten waar de riesling van de gebroeders Loosen in Amsterdam-Zuid verkrijgbaar is? Sms *Cuno 1192 1071GN* naar nummer 3010 en je krijgt per direct het volgende sms'je terug:

Loosen Riesling 2007 is verkrijgbaar bij:
Wijnkoperij De Gouden Ton Amsterdam
Willemsparkweg 158 – 1071 HS Amsterdam
telefoon: +31 (0)20 679 6231

Tot slot

Makkelijker kunnen we het niet voor je maken, lijkt ons. Ga ontzettend genieten van de lekkerste wijnen die bij jou in de buurt verkrijgbaar zijn. Geniet, maar doe het wel met mate. Hoewel – geniet gewoon mateloos!

Wil je meer weten over de wijnen die zijn beschreven in dit boek, meepraten over de wijnen, even flink tegen mijn keuzes aanschoppen, me overladen met loftuitingen, voor je bedrijf of personeelsvereniging gepersonifieerde versies bestellen of meer weten over ander werk van wijn- en culinair journalist Cuno van 't Hoff? Kijk dan op de volgende websites:

www.cuno2009.nl
www.wijnsuggestie.nl

En voor al het overige geldt: Laat je niet flessen en drink uitsluitend goede wijn!

Paul Zinck
Pinot Blanc 2007

FR ELZAS	12,5%		
750 ML	€ 6,99	SMS 1105	

proeven & ruiken De Elzas heeft door onze ouders (die de wijnen daarvandaan met wagonladingen naar Nederland lieten komen) een slecht imago gekregen. Zoetig, plakkerig en onaantrekkelijk. Toen vond men dat lekker. Dat ze daar tegenwoordig veel stijlvollere, drogere en mooiere wijnen maken, dat bewijst Paul Zinck met deze Pinot Blanc. Heerlijk kruidig, stevig parfum en mooi fris. Let vooral ook op het elegante schroefdopje. Een plezier om open te draaien. **eten** Een visje, een beetje kaas of een lekker stukje (bio)kip. Niet te vettig allemaal. **aroma's** Carambole, specerijen (witte peper), lychee.

Montana
Sauvignon Blanc Reserve 2007

NZ MARLBOROUGH	13%		
750 ML	€ 9,99	SMS 1108	

proeven & ruiken Alsof meneer Montana er een bos groene asperges in heeft gestoken – tjonge, wat is dat lekker overheersend. Handig ook om te combineren dus. Met die groene stengels. Witte mogen overigens ook. En met zijn prijs valt ie nog net binnen *Cuno 2009*. **eten** Asperges, groene groente en een lekkere moot witvis. **aroma's** Asperges, buxus, mandarijn.

Miolo
Chardonnay Safra 2008

BR VALE DOS VINHEDOS	13%	
750 ML	€ 6,99	SMS 1112

proeven & ruiken Deze wijn wint zonder twijfel de prijs voor de meest curieuze herkomst: Brazilië. Ik dacht dat daar alleen maar sinaasappels vandaan kwamen. En dat ruik je toch, die sinaasappels. Veel citrusfruit en wat kalkachtigheid in de neus. Oogst 2008, drink hem ook maar jong. **eten** Een beetje vettigheid in het gerecht mag deze wijn wel hebben. Vis, al dan niet gerookt, met een mooie botersaus. Wit vlees of gevogelte zullen hem ook niet bang maken. **aroma's** Citrus, notig, kalk.

Brampton
OVR 2006

ZA WESTKAAP	14,5%	
750 ML	€ 6,99	SMS 1118	

proeven & ruiken Als je vroeger in de manege van je kleine zusje kwam, kon het daar wat zwoel ruiken, naar paardenvijgen die zo'n lichtzoete geur afgeven in combinatie met vers stro. Wel, voeg dat samen met rode bessen, bramen en ander fruitmandengeweld en je hebt de OVR van Brampton te pakken. **eten** Pasta met arrabbiata-tomatensaus, met zo'n onweerstaanbaar pepertje erin. **aroma's** Stal, rode bessen, hout.

Miolo Family Vineyards

Cabernet Sauvignon 2006

BR	VALE DOS VINHEDOS	13,5%		
750 ML	€ 6,99	SMS 1120		

proeven & ruiken '*So bordoo*!' werd er van de andere kant van de proeftafel geroepen. 'Linker- of rechteroever?' riep ik nog. 'Linker,' zei de andere kant. 'Mis!' riep ik. 'Brazilië!' Hoe is het toch mogelijk, ik was al een andere Braziliaan in het spelersveld tegengekomen. En ook daar had ik me over verbaasd. Een hele prima Cabernet Sauvignon met typische Bordeaux-kenmerken. Iets warmer, zwoeler, maar toch... **eten** Gevogelte, wildjus, entrecote met bearnaisesaus, biefstuk. Gewoon écht rodewijneten. **aroma's** Cassis, hout, gedroogd fruit.

José Maria da Fonseca

Domini 2004

PT	DOURO	14%		
750 ML	€ 6,99	SMS 1121		

proeven & ruiken Een rijke neus, gevuld met aardbeitjes. Als ik zeg 'wilde aardbeien', dan verlies ik mezelf. Maar toch, het heeft iets wilds. Veel sappig rood fruit. Komt heerlijk de mond in, vraagt om meer. Dus drinken we hem 's avonds door bij geroosterd lam en dat werkt. Veel tijm en rozemarijn erbij en er komen ineens allemaal smaken uit de wijn vrij. Stukje hout, wat specerijen en mooie, nog best stevige tannines. De hoogste kwalificatie voor dit pareltje! **eten** Een mooi schaap. Maar dat eten we in Nederland bijna niet meer. Lam dan maar, geroosterd, gegrild of gestoofd. Veel smaak. **aroma's** Aardbeien, specerijen, hout.

Concha Y Toro Trio Cabernet
Sauvignon Carmenère Merlot 2006

Anura
Merlot Private Cellar 2006

CL RAPEL VALLEY	14,5%			ZA PAARL	14,5%		
750 ML	€ 6,99	SMS 1140		750 ML	€ 8,99	SMS 1141	

proeven & ruiken Drie druivenrassen in één fles: cabernet sauvignon, carmenère en merlot. Het etiket legt helemaal uit wat ze afzonderlijk en gezamenlijk voor elkaar betekenen. Trio! Aantrekkelijk en elegant met een aardige *bite*. Veel rood fruit en een zachte vanillesmaak door de rijping op houten vaten. **eten** Aziatisch, met sojasaus, pepers en vettige pekingeend. Of gewoon een babi pangang van de Chinees op de hoek. **aroma's** Zwarte bessen, vanille, hout.

proeven & ruiken Appie doet het de laatste tijd steeds beter met zijn nieuwe wereldwijnen. Geen logge te zwaar houtgelagerde wijnen maar elegantie en fruit. Dat willen we. Toch? Zo ook bij de Anura. Onmiskenbaar Zuid-Afrika. **eten** Barbecue in de zomer, stoofpotjes in de winter. Met iets zoetigs, lam met pruimen bijvoorbeeld. **aroma's** Kers, aardbei, vanille.

Brampton

Cabernet Sauvignon 2006

ZA WESTKAAP	14,5%		
750 ML	€ 7,99	SMS 1149	

proeven & ruiken 'Aards', dat was het eerste wat bij me opkwam toen ik de neus eens diep in het glas duwde. Aards, maar ook een flinke stoot cassis en hout. Op de tong kwam hij sappig over: sap van zwarte bessen, dat stevig ondersteund wordt door het hout. Aangenaam; lekker koelen, happie erbij en smullen. **eten** Rode pastasaus, beetje stevige pasta erbij, eventueel een flinke krul Parmezaanse kaas erover. **aroma's** Cassis, hout, laurier.

Concha Y Toro

Casillero del Diablo Carmenère 2007

CL RAPEL VALLEY	13,5%		
750 ML	€ 5,99	SMS 1150	

proeven & ruiken Duivels, zo lekker is deze Casillero del Diablo, gemaakt van carmenèredruiven. Tikkie onbekend in Nederland en dat maakt hem mysterieus. Hij heeft iets weg van een aardse merlot, kleine zoetjes en wat jamachtigheid. **eten** Lekkere stoofgerechten. Grootmoeders sukadelapjes, met een klein zoetje en een flinke hand kaneel en kruidnagel. **aroma's** Confiture, aards, hout.

Concha Y Toro Trio Cabernet
Sauvignon Carmenère Merlot Reserva 2007

Los Vascos
Cabernet Sauvignon 2005

CL RAPEL VALLEY	14,5%			CL COLCHAGUA VALLEY	14%	
750 ML	€ 6,99	SMS 1151		750 ML	€ 7,99	SMS 1155

proeven & ruiken Dikke druppels purperrode wijn glijden langzaam weer naar beneden nadat je het glas eens flink gewalst hebt. Die Zaanse grootgrutter doet het toch maar aardig met zijn triootjes. Dit keer merlot, carmenère en cabernet sauvignon. Veel finesse en een lekker stukje rood fruit. **eten** Wild gevogelte. Patrijs, fazant, of als dat allemaal moeilijk te verkrijgen is een lekker scharrelkippetje. **aroma's** Rode bessen, cassis, hout.

proeven & ruiken Dat de boys van Barons de Rothschild (Château Lafite) zich met het maken van deze wijn hebben bemoeid, da's te proeven én te ruiken. Bijna een bordeauxwijn. Veel fruit in goede balans. Een baron-waardige wijn, zullen we maar zeggen. **eten** Stevig en veel. Eten, dus. Rood vlees, gevogelte, worst en kaas. Veel smaak, dat heeft hij nodig. **aroma's** Cassis, hout, pruimen.

The Pirate of Cocoa Hill

Cabernet Sauvignon - Shiraz - Merlot 2005

AU WESTKAAP	14%			⊗ ◉
750 ML	€ 6,99	SMS 1166		

proeven & ruiken Als je de naam snel leest, staat er Cacao Hill. Dus verwacht je een flinke slok hagelslag. Niks mis mee, maar het tegendeel is waar. Stevige fruittonen met wat tabak en specerijen. **eten** Stevig vlees. Ribeye, entrecote en andere krachtpatsers van de grill. **aroma's** Tabak, rode bessen, hout.

Bodega Norton

Ofrenda 2004

AR MENDOZA	14,5%			⊗ ◉
750 ML	€ 9,99	SMS 1172		⟲

proeven & ruiken Op de grens van *Cuno 2009* met z'n € 9,99. Maar hij moest erin! Als ze nou op 1 januari maar niet ineens de glasprijs gaan verhogen. De prachtige mix van de nationale trots malbec met merlot en cabernet sauvignon leidt tot een wijn met een verhaal. Een spannend verhaal dat lang boeit. **eten** Groots en meeslepend – de gerechten die je hierbij nodig hebt. Vettige sauzen en stevig vlees. **aroma's** Gedroogd fruit, cacao, vanille.

Anura
Chardonnay 2006

Concha Y Toro
Casillero del Diablo Sauvignon Blanc 2008

ZA WESTKAAP	13,5%			CL VALLE CENTRAL	13%		
750 ML	€ 7,99	SMS 1181		750 ML	€ 5,99	SMS 1182	

proeven & ruiken Dit ruikt, dit proeft. Dit is heerlijk. Dit is chardonnay zoals je hem uit de Nieuwe Wereld wilt hebben. Licht vettig, maar nog voldoende zuren en lekkere frisse appeltjes, peertjes en een miniem schijfje banaan in het glas. *Baie goeie* wijn! Misschien volgend jaar wel een jaartje jonger, voor nog meer frisheid. **eten** Vis, rijke salades, gevogelte en zelfs een eenvoudig stukje witvlees. Maar let op de sauzen, die mogen niet al te rijk zijn. **aroma's** Appel, peer, citrus.

proeven & ruiken Strak en stijlvol, dat kwam als eerste bij me op. Een 'doe maar gewoon'-wijn. Geen fratsen, maar heerlijk weg te klokken. Wel met mate natuurlijk. **eten** Schaaldieren, salades met citrus en avocado. **aroma's** Citrus, buxus, witte peper.

Concha Y Toro Trio Chardonnay
Pinot Grigio Pinot Blanc Reserva 2007

Brampton
Sauvignon Blanc 2007

CL CASABLANCA VALLEY	13,5%	

750 ML	€ 6,99	SMS 1188	

ZA WESTKAAP	12,5%	

750 ML	€ 6,99	SMS 1190	

proeven & ruiken Het triootje blijft het goed doen, dus waarom overslaan? Ze blijken het daar gewoon lekker te vinden, en bij Concha Y Toro kunnen ze er ook wat van. Mooie, knisperige wijn; drink hem koud en vers. Vooral niet te lang laten liggen. **eten** Kaas. Wit vlees, vis en oosters; sushi of zo. **aroma's** Meloen, citrus, geroosterd brood.

proeven & ruiken Het is als wijnjournalist soms moeilijk te verkopen: meerdere wijnen van hetzelfde huis, uit één assortiment, en allemaal keur je ze als je favoriet. Maar ja, waarom niet? Als al die wijnen gewoon goed zijn, dan komen ze in de gids. Bij Brampton is dat het geval; stuk voor stuk lekkere wijnen. De Sauvignon Blanc 2007 kenmerkt zich door net even niet standaard te zijn. Wel de gewone aroma's, maar dan aangevuld met wat munt en zelfs wat foelie. Lekker. Fris. Smullen. **eten** Salades, gevogelte en vis. **aroma's** Buxus, citrus, specerijen.

Brampton
Unoaked Chardonnay 2007

Tilia
Chardonnay 2007

ZA WESTKAAP	14%			
750 ML	€ 6,99	SMS 1191		

AR MENDOZA	14%			
750 ML	€ 5,99	SMS 1203		

proeven & ruiken "Unoaked" staat er groot op de fles. En dat is niet voor niets. Vaak zijn de Nieuwe-Wereldwijnen wat té vettig en hebben té veel hout gehad. Daarom wil je wel eens heel bewust geen hout. De Brampton Unoaked Chardonnay verricht goed werk in het glas. Kruidig, rond en sprankelend. Let op dat prikkeltje voor op de tong! **eten** Gevogelte, wit vlees, schaaldieren, zeebaars. *You name it*, het kan er allemaal bij. **aroma's** Gele appel, citrus, mineralen.

proeven & ruiken Het ultieme bewijs dat één euro meer uitgeven direct resulteert in één euro lekkerdere wijn. Prima glas chardonnay, dat alles in zich heeft wat chardonnay moet hebben. Fijn. **eten** Vette vis, lichte vleesgerechten. Groenten en salades. **aroma's** Geroosterd brood, banaan, gele appel.

Los Vascos
Chardonnay 2006

CL COLCHAGUA VALLEY	13,5%	
750 ML	€ 7,99	SMS 1206	

Famille Castel
Chardonnay Grande Reserve 2007

FR LANGUEDOC	13%	
750 ML	€ 5,99	SMS 1207	

proeven & ruiken Licht vettig, dan veel sap en aan het eind een lang aanhoudend prettig zuurtje. Wijn die bijblijft. Wel '*chilled*' serveren. **eten** Vette vis, gevogelte en een mooi mals stukje kalfsvlees. **aroma's** Banaan, geroosterd brood, gesmolten boter.

proeven & ruiken Gemaakt in de Languedoc en dat proef je meteen. Die warmte zit in de wijn, het terroir en de kruidigheid ook. Kruiden die daar allemaal in de omgeving groeien en bloeien. Gut, wat een rijm. **eten** Vis met saus. Of gevogelte, maar dan met niet te rijke saus. **aroma's** Gele appel, geroosterd brood, specerijen.

Santa Cristina

Pinot Grigio 2007

IT SICILIË	12,5%		
750 ML	€ 6,99	SMS 1231	

proeven & ruiken Lekker belangrijk, moeilijk doen over wijn. Deze is gewoon lekker. En dat komt door z'n plezierige doordrink-karakter. Fris en mooie zuren, wat kleine tropische aroma's en een beetje witte peper voor wat power in de reet. Of was het nou omgekeerd? **eten** Risotto met vis, antipasti, schelpdieren. **aroma's** Witte peper, ananas, mineraal.

Los Vascos

Sauvignon Blanc 2007

CL COLCHAGUA VALLEY	13%	
750 ML	€ 7,99	SMS 1232

proeven & ruiken De neus van deze sauvignon blanc is zo elegant en aromatisch, dat je hem bij een eerste 'inhaal' verdenkt van een totaal ander druivenras. Meer iets in de richting van chardonnay of vermentino. Lekker, zo'n atypische sauvignon. Mooi en gebalanceerd; fruitjes, mineraaltjes en een klein botertje. Heel klein. **eten** Vis en kalfsvlees. Biokip (vermijd de plofkippen, die zijn slechts met water gevuld) of een schaaldiertje. Krab en langoustines. **aroma's** Mandarijn, citroenschil, mineraal.

La Tulipe
Rosé 2007

FR BORDEAUX	12,5%		
750 ML	€ 5,99	SMS 1251	

proeven & ruiken Als die gekke Hollands-Franse wijnboer Ilja Gort nou voor één euro meer druiven in z'n rood en wit had gedaan, waren die waarschijnlijk ook in *Cuno 2009* verschenen. Het blijft een Nederlander: ze willen het allemaal onder de € 5 houden. Krentenkakkers. Nu moet hij het uitsluitend doen met z'n rosé, waar wel een euro meer eersteklas merlot- en cabernet-sauvignondruiven in zitten. En die is dan ook berelekker. Sappige doordrinker met veel fruit, een subtiele mineraliteit en een enthousiast naspel. **eten** Salades, avocado en grapefruit, of een gestoomd visje. Zo uit het vuistje kan ook. Eigenlijk wel zo lekker. **aroma's** Aardbei, kers, framboos.

André Hazes zou (waarschijnlijk in een ander leven) verzot zijn geweest op een wijn die gemaakt is van chardonnaydruiven. En Beatrix schijnt te smelten voor een Australische shirazwijn. Althans, dat zeggen de experts: vinoloog Ellen Dekkers en astrologe Dorien de Vries. Beide dames proberen samen met slijterijketen Mitra het wijnbeleven naar een hoger plan te tillen – de sterren. Voor ieder teken van de dierenriem hebben de ze een wijn geselecteerd. Zo is de Stier een echte lekkerbek en mag hij zich gaan wagen aan een elegante wijn uit de noordelijke Bordeaux; die past ook goed bij z'n koppigheid en creativiteit. En de altijd gedisciplineerde en plichtsgetrouwe Steenbok kan het beste zijn heil gaan zoeken bij een frisse sauvignon blanc uit Chili.

Dit soort concepten komt op mij altijd wat vergezocht over; het neigt een tikje te veel naar vriendinnen die niet weten wat voor wijn ze als cadeautje moeten kopen en dan maar gemakshalve een sterrenbeeldwijn kiezen. Wel, dat bleek nou precies wat Mitra, dat zo'n driehonderd winkels voornamelijk buiten de Randstad bezit, wil met dit concept: hippe jonge vrouwen, die nu misschien uit drempelvrees de slijterij voorbij lopen om bij de supermarkt hun keuze te maken, tot een aankoop verleiden. Dit zou dé doelgroep moeten zijn; sleur ze die drempel over en laat ze kennismaken met een sterrenbeeldwijn gehuld in een gelikte verpakking.

Tussen de twaalf door Ellen geselecteerde wijnen zaten er enkele die ik niet direct zou kiezen, maar de totale *range* gaf wel een goed beeld van het aanbod van de slijterijketen. Van zeer lichtvoetige wijnen tot stevige krachtpatsers. Zoals de Faustino VII, een rode rioja uit Spanje, voor nog geen acht euro. Die zie ik zo vaak in de schappen liggen dat ik daardoor niet gauw geneigd ben om hem te beschrijven, maar ik heb hem toch maar eens geproefd. Een heel zwoele rioja die gemaakt is van hoofdzakelijk tempranillodruiven en zo'n tien maanden op Amerikaanse eikenhouten vaten heeft gelegen. Een wijn die je met gemak bij stevig wild kan drinken. Hij zou uitermate geschikt zijn voor Boogschutters, maar deze avontuurlijke, spontane en initiatiefrijke Ram lustte hem ook erg graag.

Marsigny

Crémant de Bourgogne Brut Rosé

FR BOURGOGNE	12%		🆒 ✴
750 ML	€ 8,99	SMS 1133	🔴

proeven & ruiken Op exact dezelfde manier gemaakt als een 'echte' rosé champagne. Twee keer vergist om hem uiteindelijk die fijne bubbels mee te geven. Deze crémant, zoals ze zo'n bubbelwijn vaak noemen die dus niet uit de Champagne komt, is een mooi alternatief voor de echt godendrank. **eten** Knapperige voorgerechtjes, amuses, toast met tomaat en olijfolie. Oesters, schelp- en schaaldieren. Salades met fruit. **aroma's** Gist, rode bessen, citrus.

Cave des Vignerons

Chablis 2006

FR BOURGOGNE	12,5%		🆒 ⬤
750 ML	€8,99	SMS 1189	🔴🔴

proeven & ruiken Fijne wijn, dat is vaak zoeken zonder goede wijnkoopgids. Inmiddels is wel gebleken dat als we een paar eurootjes extra uitgeven, de kwaliteit ineens exponentieel omhoogschiet. Deze chablis is daar een duidelijk voorbeeld van. Een mooie, elegante wijn met wat peperigheid en veel fris fruit. Met weer dat minieme bittertje achterin dat hem ineens heel spannend maakt. **eten** Waarom altijd schelp- en schaaldieren bij chablis? Probeer eens een vis, zeebaars bijvoorbeeld: op de huid grillen, een mooie jus erbij en dan deze chablis. **aroma's** Witte peper, gele appels, citrus.

Cave Prissé
Mâcon-Villages 2007

De Bortoli
Sero Cabernet Rosato 2007

FR MÂCON-VILLAGES	12,5%		⟳ ◉
750 ML	€ 5,49	SMS 1097	⊙

AU VICTORIA	13,5%		⟳ ◉
750 ML	€ 8,99	SMS 1115	

proeven & ruiken Hoe eenvoudig kan het zijn om voor dit geld een correct glas Mâcon-Villages te maken? Wel, kinderlijk eenvoudig, zo blijkt. Rijp geel fruit zoals appel, perzik en peer. De zuurtjes houden hem, wederom, eenvoudig in balans. **eten** Wit vlees, kip en vis. **aroma's** Perzik, peer, zoete appels.

proeven & ruiken Het etiket oogt Spaans: 'Cabernet Rosato', maar de wijn komt toch echt van *down under*. Daarom absoluut geen vervelende '*rosie*'. Zacht en fruitig van pruimen, kersen en wat aardbei. **eten** Tapas, paella, gegrilde sardientjes. Salades en ook wat gegrild rood vlees. **aroma's** Aardbei, pruim, kersen.

Domaine de Pierre Feu

Beaujolais-Villages 2007

FR BEAUJOLAIS	12,5%	
750 ML	€ 5,00	SMS 1117

proeven & ruiken Beaujolais zit in Nederland nogal in het verdomhoekje. Komt door die @$#%! Beaujolais Primeurs waarmee ze onze smaak (maar ook het glazuur op onze tanden) en hun imago hebben verknald. Toch zijn er verdomd mooie cru's (dorpjes) waar heerlijke wijnen van de gamaydruif worden gemaakt. Deze Beaujolais-Villages is licht, rond van smaak, met wat kleine zoetjes en heel goed te verteren. **eten** Lekker koelen en dan naast een stukje vis, gestoofd in de oven met tomaten, aubergine en courgette. **aroma's** Kersen, aardbei, bramen.

Château la Fleu Poitou

Lussac-Saint-Emilion 2005

FR LUSSAC-SAINT-EMILION	13,5%	
750 ML	€ 5,99	SMS 1122

proeven & ruiken Lussac-Saint-Emilion is een satellietdorp van Saint-Emilion en dat proef je: stevige wijnen met karakter. Dat is deze ook. Heeft nog een flinke tanninestoot (voel dat droge gevoel rondom je tanden); wat vraagt om lekker stevig eten. **eten** Stevige vlees- of gevogeltegerechten. Ik zou haast zeggen een fazantje, maar ja, hoe vaak doe je dat? Gewoon een lekkere boerenkip volstaat ook. **aroma's** Aalbes, aardbei, hout.

Bodegas Faustino

Faustino VII 2004

ES RIOJA	13%		🔖 ⬤
750 ML	€ 6,79	SMS 1126	⬅️🇨

proeven & ruiken Een fijne rioja voor een fijn budget. Geen gedoe aan deze wijn: makkelijk drinkbaar met een aantrekkelijke complexiteit. **eten** Worst, antipasti, grillgerechten. **aroma's** Hout, kersen, aards.

McWilliam's

Shiraz 2005

AU SOUTH EAST AUSTRALIA	13,5%		🔖 ⬤
750 ML	€ 7,29	SMS 1129	

proeven & ruiken Dat shiraz uit Zuidoost-Australië ook licht en goed verteerbaar kan zijn, bewijst McWilliam's. Mooie gedroogde fruittonen, een lekker snufje tabak en een gezonde dosis hout. Alles omwikkeld met sappig rood fruit. **eten** Lamsvlees, ribeye, slavinken. **aroma's** Hout, rood fruit, tabak.

Mont Tauch

Fitou 2005

FR LANGUEDOC-ROUSSILLON	13,5%	
750 ML	€ 5,99	SMS 1130

proeven & ruiken De perfecte prijs-kwaliteitverhouding. Mooi fris fruit en een goed mondgevoel (zó vervelend als het niet fijn voelt in je mond – ben je meteen klaar). De druiven worden met de hand geplukt, wat zorgt voor secuurdere selectie en minder 'troep' in de wijn. **eten** Gehaktballetjes, desgewenst met jus, maar niet te vet. Verder kan hij bij Aziatisch ook aardig zijn weg vinden. **aroma's** Rode bessen, hout, bramen.

Muscat de Beaumes de Venise

Or Rose

FR BEAUMES DE VENISE	15%	
750 ML	€ 9,99	SMS 1134

proeven & ruiken In Nederland is dessertwijn niet zo ingeburgerd, in Frankrijk zie je het veel vaker. Waarom niet adopteren, daar zijn we per slot van rekening goed in. Waanzinnig lekker als aperitief, met een flinke klont ijs erin (ja, het mag). **eten** Als aperitief of bij desserts. Krakende deegbodem en een lekker dun laagje appel, peer of abrikoos erbovenop: vruchtentaart dus. **aroma's** Sinaasappel, abrikoos.

Guy Maland

Fleurie Cuvée Prestige 2006

FR BEAUJOLAIS	13%			
750 ML	€ 7,99	SMS 1136		

proeven & ruiken Wanneer drink je nou fleurie? Als je lekker ongedwongen wijn wilt drinken en geen zin hebt in wit, omdat je toch een beetje pit wilt. Licht geurend, ongedwongen, lekker floraal en wat frivole kersjes. **eten** Visgerechten, lichte vleesgerechten. Vooral wit vlees als kalf of een jong lammetje. Liever gestoofd dan gegrild. **aroma's** Kers, floraal.

Santa Rita

Cabernet Sauvignon Reserva 2006

CL MAIPO VALLEY	14%		
750 ML	€ 8,39	SMS 1139	

proeven & ruiken Santa Rita scoort in de regel hoog op de vaderlandse wijnlijstjes, in tegenstelling tot veel andere Chileense wijnindustriëlen. Santa Rita's reserva cabernet sauvignon is fris, plezierig en heeft niet dat nare zure houtsmaakje dat sommige kunnen hebben. Aangenaam lekker, winter en zomer. Ach, eigenlijk het grootste deel van het jaar. **eten** Veel Chileense wijnen doen het goed bij de boerse keuken. De Franse, Italiaanse of natuurlijk de Chileense. Mooie worsten, geurende tomaten en wat grillvlees. **aroma's** Cassis, vanille, hout.

Kamsberg

Tinta Barocca 2006

ZA SWARTLAND	14,5%		🌀 ◉
750 ML	€ 5,00	SMS 1143	

proeven & ruiken '*Bushvine*' staat er op de fles, wat zoveel betekent als dat de wijnplanten niet ondersteund worden, maar vrijuit groeien, zodat de bladeren als een soort paraplu gaan staan en de druiven tegen de ergste warmte beschermen. Een beetje aards, met een zoetje van rode besjes. **eten** Worstjes van de grill in tomatensaus, rood vlees of pasta's, ook weer met tomatensaus. **aroma's** Rode bessen, aards.

Viña Foronda

Reserva 2003

ES CAMPO DE BORJA	13,5%		🌀 ◉
750 ML	€ 5,00	SMS 1144	

proeven & ruiken Zo'n gek netje, ik snap nooit wat de bedoeling daarvan is. Daarnaast krijg ik er ook altijd ruzie mee als ik het wil verwijderen. Maar de wijn, achter het netje, smaakt er niet minder om. Al helemaal niet als je naar de prijs kijkt. Licht fruitig karakter met veel rood fruit en een lekker aangenaam zoetje. **eten** Antipasti, rood vlees, worstjes en harde kazen. **aroma's** Rode bessen, hout, aards.

Castillo de Almansa
Reserva 2004

Piccini
Chianti Classico Riserva 2005

ES CASTILLA-LA MANCHA	14%		❈ ◉
750 ML	€ 5,00	SMS 1147	

IT CHIANTI	13%		❈ ◉
750 ML	€ 9,49	SMS 1148	◉

proeven & ruiken Die gekke Spanjolen, die kunnen toch best wel wijn maken. Een beetje tempranillo-, monastrell- en garnachadruiven bij elkaar mikken, twaalf maandjes in eikenhouten vaten. Et voilà! Een mooie en betaalbare wijn. **eten** Tapas, veel, heel veel tapas met een overvloed aan knoflook en kruiden. **aroma's** Kersen, rode bessen, hout.

proeven & ruiken Chiantiwijnen. Vaak erg overschat, soms ook pareltjes. Zoals deze van Piccini. Een elegant neusje van aardbeien en een mooi stukje hout in het glas. En een prachtig mondgevoel. Voel aan je tanden na de eerste slok: filmend en zacht. Prachtig. **eten** Wild en geroosterd vlees of gegrilde groenten. De combinatie van die laatste twee, daar schaamt hij zich ook niet voor. **aroma's** Aardbei, hout, laurier.

Les Costes
Crozes-Hermitage 2006

FR CROZES HERMITAGE	13%			
750 ML	€ 8,49	SMS 1158		

Zantho
Blaufränkisch 2006

A BURGENLAND	13%		
750 ML	€ 6,49	SMS 1162	

proeven & ruiken Crozes-Hermitage, waar de duurdere wijnen uit het zuiden van Frankrijk vandaan komen. Deze kruidige rakker is echter goed betaalbaar en nog beter drinkbaar. Barst van de kruiden, fruit en zelfs een groene asperge. Waar ze die dan weer vandaan halen... **eten** Wilde kippetjes, wilde everzwijntjes, cranberrysausje erover en klaar! **aroma's** Specerijen, gedroogde pruimen, rood fruit.

proeven & ruiken Zo'n koddig glazen kurkje, die kom je eigenlijk alleen maar tegen bij Oostenrijkse wijnen. Heel handig, vooral ook om de halflege fles weer af te sluiten, mocht dat nodig zijn. Ook die druif, de blaufränkisch, is zo Oostenrijks en zorgt voor frisse, bijna pinot noir-achtige wijnen. Da's dan weer wel heel serieus. **eten** Niet al te heftige vleesgerechten. Beetje gevogelte of zo. **aroma's** Rode bessen, munt.

Santa Rita 120 Carmenère
Cabernet Franc Cabernet Sauvignon 2005

Santa Isabel
Cabernet Sauvignon 2006

CL RAPEL VALLEY	14%			AR MENDOZA	13%		
750 ML	€ 5,99	SMS 1169		750 ML	€ 5,00	SMS 1170	

proeven & ruiken De jongens en meisjes van Santa Rita maken al jaren fijne wijn voor een goede prijs. Zo ook deze weer. *Keep on going strong, guys!* **eten** De fik in de barbecue, dat is in de zomer de enige oplossing. En in de winter bijbehorende winterse stoofpot. **aroma's** Gedroogde pruimen, cassis, hout.

proeven & ruiken Lelietjes-van-dalen, die vechten om je neus binnen te dringen. 'Floraal' noemen we dat dan. Mooi en ongecompliceerd. **eten** Worst en gehaktsaus. **aroma's** Rode bessen, bloemen, groene peper.

Château de Luc

Corbières 2005

FR CORBIÈRES	13%		🕲 ⦿
750 ML	€ 6,99	SMS 1171	

proeven & ruiken Ik ben zo'n waanzinnige Corbières-fan. Daar komen de lekkerste kruidige fruitbommetjes vandaan. Ogen dicht en je waant je in een groot veld met lavendel, uitkijkend op weer een groot veld, maar dan met zonnebloemen. **eten** Kruidige gerechten, gestoofd met pruimen, wortel en ui. **aroma's** Specerijen, tabak, cassis.

Bodegas Nieto Senetiner

Merlot 2006

AR MENDOZA	14%		🕲 ⦿
750 ML	€ 6,29	SMS 1173	

proeven & ruiken Zo! Die blaast even flink hoog van de toren. Veel dieprood of bijna zwart fruit en een lekkere lik cacao. Gooi hem gerust van tevoren even over in een karaf om hem wat lucht te geven. 't Is nogal een krachtpatser. **eten** Krachtig vlees met mooie rijke saus of stoofgerechten met veel groenten. **aroma's** Zwart fruit, cacao, hout.

Villa Romanti
Valpolicella - Ripasso 2006

IT VALPOLICELLA	13,5%			CL MAIPO VALLEY	13,5%		
750 ML	€ 6,99	SMS 1142		750 ML	€ 5,99	SMS 1177	

Santa Rita
120 Rosé Cabernet Sauvignon 2007

proeven & ruiken Lichtfris en een klein zoetje, alsof hij wat 'jamachtigs' heeft. Dat komt doordat de wijn een klein tijdje in de half ingedroogde druiven van zijn grotere broer, de Amarone heeft geweekt. **eten** Stoofgerechten, niet te pittig, met her en der een zoetje. **aroma's** Confiture, kersen, rode bes.

proeven & ruiken Pittige rosé met een aantrekkelijke *bite*, en dat komt dan weer door die cabernet-sauvignondruiven. Beetje cassis en een vleugje zepigheid zorgen voor veel drinkplezier. **eten** Salades, gegrilde vis en schaal- en schelpdieren. **aroma's** Cassis, zeep.

Santa Rita
120 Sauvignon Blanc 2007

Stellar Organics
Sauvignon Blanc 2008

CL	VALLE DE LONTUE	13,5%			ZA	WESTKAAP	13%		
750 ML	€ 5,99	SMS 1178			750 ML	€ 5,00	SMS 1179		

proeven & ruiken Het lijkt wel of we Santa Rita-fan zijn. Dat komt dan vooral omdat je soms zin hebt in een wijn die niet zo heel erg wereldbestormend is. Gewoon lekker pretentieloos genieten van een fris glas. **eten** Schaal- en schelpdieren, frisse salades met citrusfruit. **aroma's** Buxus, asperge, citrus.

proeven & ruiken Met rood hebben ze nog wat moeite bij Stellar Organics, maar de witte sapjes, die gaan voor 'prima' door. Fris, kruidig en met een kleine, kalkachtige afdronk. Drink hem ijs- en ijskoud. **eten** Lichte salades. **aroma's** Komkommer, appel, citrus.

Doña Dominga

Chardonnay Semillon 2007

CL COLCHAGUA VALLEY	13,5%		FR LOIRE	12,5%		
750 ML	€ 5,00	SMS 1180	750 ML	€ 9,99	SMS 1184	

Domaine La Gemière

Sancerre 2007

proeven & ruiken Lekkere combi toch altijd, chardonnay met semillon. Het levert toegankelijke en vriendelijke wijnen op. Ook uit Chili. **eten** Vettige visjes, met mooie witte wijn of roomsauzen. **aroma's** Mandarijn, appel, witte pruim.

proeven & ruiken Sancerre: veelal zwaar overgewaardeerd, waardoor er ooit veel meuk naar ons land werd gestuurd. Domaine La Gemière weet het echter wel goed te doen en bezorgt ons een fijn mandje met fruit, mineralen en veel sap. **eten** Vis, schaal- en schelpdieren, rijke salades. **aroma's** Mineralen, citrus, ananas.

De Bortoli Sero

Chardonnay - Pinot Grigio 2006

AU KING VALLEY	13%		↻ ⊕
750 ML	€ 8,99	SMS 1185	

proeven & ruiken Je ziet het niet vaak, deze combinatie van druiven. Toch levert het een fijne, frisse wijn op met een pittig karakter. Mooie zuurtjes en een klein bittertje in de afdronk. **eten** Veel, heel veel kun je hierbij eten. Veel als in veelsoortig. Salades, vis en zelfs niet te zwaar vlees zal hij zonder morren overleven. **aroma's** Witte peper, groene appel.

Stellar Organics

Shiraz Rosé 2008

ZA WESTKAAP	14%		❀ ↻ ◉
750 ML	€ 5,00	SMS 1196	

proeven & ruiken Bij Stellar Organics staan de afvulmachines niet helemaal juist afgesteld, wat meestal resulteert in een glaasje extra. Fijn voor ons Nederlanders. Ook fijn dat het Max Havelaar- en het biologo op de fles staan; eerlijke handel dus. Maar dan moet de wijn wel goed zijn, en dat is ie. **eten** Vis, salades maar ook rood vlees. **aroma's** Kersen, aardbeien.

Zantho
Grüner Veltliner 2007

AT BURGENLAND	12%		
750 ML	€ 6,45	SMS 1197	

Monasterio de Palazuelos
Verdejo 2007

ES RUEDA	12,5%		
750 ML	€ 5,49	SMS 1199	

proeven & ruiken Stuivend, zou je zeggen. Fris en knapperig, dat staat voor grüner veltliner. En dat geldt helemaal voor deze Zantho. Mooie wijn voor bij het aperitief, het voorgerecht of zo even tussendoor. Opgelet: geen gewone kurk, maar weer zo'n glazen stopje. **eten** Kleine voorgerechten, zoals antipasti, maar ook tapas en lichte visgerechten. **aroma's** Citrus, mineraal, mandarijn.

proeven & ruiken Verdejodruiven kenmerken zich door hun stuivendheid; daarnaast geven ze een lekker zachte neus mee, zodat het geheel niet te puntig wordt. En dan komen ze ook nog eens uit Spanjes mooiste wittewijngebied, de Rueda. Zinderende hitte overdag, afgelost door koude nachten. Dat maakt deze wijn zeer toegankelijk met een aangename complexiteit, zonder al te druk te doen. **eten** Vis, liefst zoetwatervis, of een mooi stukje wit vlees. Geroosterde big, kalf, zelfs wat lam zou goed kunnen. **aroma's** Gele appels, mandarijn.

Fendant
2007

CH VALAIS	12%			
750 ML	€ 6,99	SMS 1200		

proeven & ruiken De enige Zwitserse wijn in *Cuno 2009*. Daar moeten die klokkenmakers toch eens iets aan gaan doen, want ze kunnen best lekkere wijn maken, zo blijkt helemaal uit deze Fendant 2007. Gemaakt van de chasselasdruif, die normaal wat vlak van smaak is. Maar hier heeft hij de juiste kruidigheid en frisheid om overeind te blijven, fier als een tijger. Er kwam maar één ding in mijn hoofd op: mosselen. Daarmee bombardeer ik hem dan ook tot dé mosselwijn van 2009. **eten** Mosselen, mosselen en nog eens mosselen. **aroma's** Gele appel, nootmuskaat, citrus.

Yellow Tail
Chardonnay 2007

AU SOUTH EAST AUSTRALIA	13,5%			
750 ML	€ 5,00	SMS 1209		

proeven & ruiken Die 'Gele Staart' doet het bij mij niet altijd zo heel goed. Maar de chardonnay, daar weten ze wel raad mee. Mooi tropisch, niet te zwaar en veel lekkere smaakjes. *Easy drinker*. **eten** Kangoeroestaartsoep, adviseert het achterlabel. Ik houd het liever op wat vis, wit vlees of kip. **aroma's** Ananas, mango, kokosnoot.

Kendermanns
Sauvignon Blanc 2007

Domaine Pabiot Les Grappes Dorées
Pouilly Fumé 2007

DE PFALZ	12%		🟦P 🔵	FR LOIRE	12,5%		🟦K 🔵
750 ML	€ 5,00	SMS 1213	🟢	750 ML	€ 9,28	SMS 1233	

proeven & ruiken Het nadeel als je wel eens een vatmonster proeft, zo'n glas recht-streeks uit het vat bij de boer zelf: dan weet je heel weinig van de technische gegevens over de wijn. Wel dat hij erg lekker is en nu in de schappen ligt. Eerst dacht ik te maken te hebben met een Elzaswijn. Niets bleek minder waar: Duitsland. Mooi tropisch en heerlijke zuren. Voor zo tussendoor. **eten** Vis met roomsaus en citroen. **aroma's** Ananas, mandarijn, citrus.

proeven & ruiken Tikkie rokerigheid in de neus, verder vele lekkere fruitsoorten uit verre tropische oorden. En als je goed ruikt een blaadje munt. **eten** Gevogelte, vis en witvlees. Mooie rijke saus erbij serveren. **aroma's** Tropisch fruit, geroosterd brood, munt.

Scalini
Prosecco

Olivella Ferrari
Cava Brut Reserva

IT VENETO	10,5%		🕉 🌐	ES PENEDÉS	11,5%		🕉 🌐
750 ML	€ 5,49	SMS 1240		750 ML	€ 5,99	SMS 1241	⊖⊖

proeven & ruiken Ik zeg het zo vaak: aan mijn lijf geen proseccobubbels. Smakeloos en zuur. Geen pretje voor m'n tandglazuur en het is toch weer een verplichte gang naar de glasbak. Totdat je ineens wordt overrompeld door een best aardige, eigenlijk prima drinkbare bubbel van de proseccodruif. Spannend? Nee. Lekker? Ja! In de tuin, op het terras, in bad of tussen de lakens. Kom maar door met een glas gekoelde Scalini. **eten** Uitsluitend als aperitief. Niet bij eten. Ik herhaal: NIET bij eten. **aroma's** Groene appels, zepig, wilde perzik.

proeven & ruiken De Ferrari F430, ik kan er uren naar kijken en naar luisteren. Dat doordringende motorgeluid – als geen ander. Helaas van een afstand; het tonnetje extra deze maand hebben ze nog steeds niet op mijn rekening overgemaakt. Dan maar aan de cava. Olivella Ferrari schijnt, naast zijn naam, volgens het etiket ook nog charisma te hebben. Wel, dat proeven we in zijn wijn. Met name de brut reserva, die bekoort mij wel. Een wat belegen neus met aroma's van noten en wit fruit. En een lengte, nou ja, dat had ik nooit verwacht. Voor zo weinig. **eten** Lekker bij een oestertje, tapas of antipasti. **aroma's** Appel, noten, hooi.

De sommelier

De rol van de sommelier wordt vaak onderschat. In veel restaurants is het een gecombineerde functie: er is een gastheer of -vrouw die zich én met de wijnen, én met bediening bezighoudt. In de luxere zaken is het wel een afzonderlijke taak en dat werpt zijn vruchten af. De betere sommelier zit barstensvol met kennis van wijnen uit de hele wereld. Natuurlijk kan hij zijn eigen wijnkaart dromen, maar hij kent ook de kaarten van collega's.

De sommelier is belangrijker dan menigeen zal vermoeden. Hij schenkt niet alleen de wijnen, maar stelt in nauwe samenspraak met de keuken de kaart samen, proeft de gerechten en probeert traditionele, mooie, spannende of heel vernieuwende combinaties met wijnen te maken. Hij doet de inkoop van de wijnen, overlegt met importeurs en importeert de exclusievere wijnen vaak zelf. Uiteindelijk zorgt hij ervoor dat die wijn, begeleid door een goed advies, in optimale toestand op tafel en in het glas komt.

De sommelier wordt vaak verward met een vinoloog. De vinoloog is iemand die een diepgaande cursus heeft gevolgd om een brede theoretische en praktische wijnkennis te vergaren. Dat zegt overigens nog heel weinig over zijn feitelijke ervaring met wijn. De sommelier kán wel zijn opgeleid tot vinoloog, maar hij kan zijn kennis ook heel goed tijdens het werk opdoen. Veel, heel veel proeven, wijnboeren bezoeken, wijn-spijscombinaties uitproberen en dikke wijnboeken doorspitten: voor je het weet ben je interessant voor de 'sommeliers-transfermarkt' en word je ineens weggekocht door een sterrenzaak.

Verder lezen: www.wijnacademie.nl; www.sommeliers.nl

Château Artos Lacas
Les Falaises 2007

FR CORBIÈRES	13%	
750 ML	€ 5,79	SMS 1014

proeven & ruiken Wijnen uit de Corbières hebben van nature iets boers en soms ook iets scherps. Deze stoere ridder heeft dat absoluut niet: hij is wel boers, maar dan op een stadse manier. Veel specerijen, lavendel en dansende bosbessen op je tong. **eten** Boerse wijn, boers eten. Spaanse of Italiaanse worsten, mooie kazen, maar ook voor een goede barbecue rent hij niet weg. **aroma's** Specerijen, bosbessen, lavendel.

Arrogant Frog
GSM Reserve 2006

FR PAYS D'OC	13,5%	
750 ML	€ 7,99	SMS 1017

proeven & ruiken GSM, de magische term in het zuiden van Frankrijk. Grenache, syrah en mourverdre. Kruidigheid met zwarte peper, snufje snuiftabak en wat sappige zonovergoten bessen. Een serieuze doordrinker. Weekendwijntje. **eten** Lammetje van de barbecue, met tijm en rozemarijn. Mooie rijke saus erbij *et voilà*. **aroma's** Specerijen, peper, cassis.

Sumarroca
Tempranillo 2005

Alamos
Malbec 2007

ES PENEDÉS	13,5%			AR MENDOZA	13,5%		
750 ML	€ 5,99	SMS 1022		750 ML	€7,99	SMS 1025	

proeven & ruiken '*So tempranillo*,' zouden de Amerikanen zeggen. Een goed *shot* hout, gecombineerd met mooi rood en bosfruit. Bramen, zwarte bessen. Een lengte, ik zeg daar 'u' tegen. *They love it*, die Yanks. 'En dat voor die prijs', zeggen de Nederlanders op hun beurt. **eten** Hmm, saltimboccaatje? Ik zeg 'ja, schuif maar door, chef'... **aroma's** Bramen, zwarte bessen, vanille.

proeven & ruiken De Andes en zijn smelt- water, dat staat garant voor heerlijke, vaak wel stevige, mineraalhoudende wijnen. Bereid je voor op geweld, Argentijns geweld, met een flinke tango-hint. **eten** Chorizo, tapas, stevige worst, en overig vleselijk geweld. **aroma's** Hout, braam, steen.

Kanonkop

Kadette 2006

ZA STELLENBOSCH	14%		
750 ML	€ 9,78	SMS 1027	

proeven & ruiken Cabernet sauvignon zorgt voor z'n frisheid en ruggegraat, merlot voor z'n fruitigheid en de pinotage – ja, daar hebben we Zuid-Afrika. Gelukkig komt dat ooit zo verpeste druifje er de laatste jaren langzaamaan weer een beetje bovenop. Geen rubbergedoe, maar eerlijk en fris. *Baie goeie* wijn! **eten** Ik zeg: wederom die braai. Maar dan wel echt op z'n Zuid-Afrikaans. Veel kruiden, veel vlees! **aroma's** Hout, zwarte bes, vanille.

Valdivieso

Sauvignon Blanc 2007

CL CENTRAL VALLEY	13%		
750 ML	€ 5,99	SMS 1033	

proeven & ruiken Frisheid van rode grapefruit en gele perziken, gecombineerd met een lichte aardsheid. Wat gronderigheid zelfs. Daardoor vertelt deze Chileen best wel een fijn verhaaltje. **eten** Kreeft of krab. Mooie lik 'zelfgetikte' citroenmayo erbij en *french fries*. **aroma's** Grapefruit, aards, wilde perzik.

Wolf Blass
Chardonnay 2006

AU SOUTH EAST AUSTRALIA	13,5%	
750 ML	€ 6,49	SMS 1038

proeven & ruiken Steve Irwin zou wel een lekker robbertje willen vechten met deze stoere chardonnay. Klassiek, geel fruit – de honing-meloen rolt zo je mond in – zonder dat hij té zoet wordt. Fijne mensen, die Aussies! **eten** Zet hem met gemak naast een lekkere pasta met kaassaus, een mooi gegrild kippetje of wat zoetwatervis. Vermijd wel de pijl-staartrog! **aroma's** Honingmeloen, hout, perzik.

Wolf Blass
Yellow Label Chardonnay 2006

AU SOUTH AUSTRALIA	13,5%	
750 ML	€ 8,39	SMS 1040

proeven & ruiken Na 42 jaar wijn maken weet je wel een beetje hoe het moet. Of beter, wat men lekker vindt. Dat geldt zeker voor Wolf Blass. Stijlvol, elegant en met mooie zuren. Niet te vet, veel meloen en andere boterzachte fruitjes. Maar die adelaar op het etiket, ik weet het niet. Tijd voor een nieuw design? **eten** Zoetwatervissen of krab en kreeft, met rijke sauzen. **aroma's** Meloen, wilde perzik, banaan.

Alamos

Chardonnay 2006

CL MENDOZA	13,5%			ZA STELLENBOSCH	14%		
750 ML	€ 5,99	SMS 1042		750 ML	€ 9,39	SMS 1043	

Tokara Zondernaam

Chardonnay 2007

proeven & ruiken Zachte mango, veel citrus, wat appeltjes van oranje. Een licht zoetje door het relatief hoge alcoholpercentage, maar gelukkig wordt dat snel weggewassen door de lekkere zuurtjes aan de zijkant van je tong. **eten** Grillen met die hap! Witvis of zelfs wit vlees. **aroma's** Sinaasappel, mango, hout.

proeven & ruiken Het fruit springt eruit! Het hout ook, maar dat blijft daarna koest in de hoek liggen, daar waar het hoort. Mooi gebalanceerd. Perzik, mango, banaan en een lekkere nootimpressie. Ik predik hier weer graag voor Zuid-Afrika, en dan met name de wat duurdere wijnen, zo tegen een tientje. Heerlijk! **eten** Gooi de barbecue maar weer eens aan. Visjes erop. Mooie coquilles, wat kreeft. Lekker decadent! **aroma's** Perzik, mango, noten.

Alamos
Cabernet Sauvignon 2006

AR MENDOZA	13,5%		
750 ML	€ 7,99	SMS 1049	

proeven & ruiken Een stevig cassisneusje, tikkie aardsheid en een flinke balk hout. Toch kan deze Alamos dat best trekken. Z'n frisse mineralen en het aantrekkelijke zwarte fruit brengen hem mooi in balans. **eten** Flinke gegrilde macho-steaks van de barbecue. **aroma's** Cassis, gedroogde pruimen, hout.

Tokara Zondernaam
Sauvignon Blanc 2007

ZA STELLENBOSCH	14%		
750 ML	€ 9,39	SMS 1056	

proeven & ruiken Je ruikt de berglucht langs de Franse Loire en je proeft de zon van Stellenbosch. Sappig wit fruit, stevig aan de alcohol zonder dominant te zijn. **eten** Het alcoholpercentage smacht naar een stevige hap. Wit vlees, gegrild. Snoek- of zeebaars met een kruidige witte wijnsaus. **aroma's** Groene appel, citrus, buxus.

CHORIZO COKTAIL

100 g

3,30 F

FAGOT CATALAN

3€30 LES 100G

Ironstone Vineyards

Old Vine Zinfandel 2006

US CALIFORNIË	14,5%	🦋 💲 ◉
750 ML	€ 9,78	SMS 1075

proeven & ruiken Ik daag je uit om eens het etiket van deze fijne Zinfandel te ontcijferen. Hier wordt overduidelijk gegoocheld met Frans (*appellation*?) en waarschijnlijk een zelfbedachte prijs (*Award winning Family Wines*). Hans Kazàn is er niks bij. En toch doet hij het best aardig bij ons. Zacht gedroogd cassisfruit en wat hout, dat de boel goed onder controle houdt. **eten** Pasta met een volle tomatensaus, aubergine, courgette, pepertje erin en een lekkere schaaf parmezaan erover. **aroma's** Cassis, hout, kers.

Peter Lehmann

Shiraz Grenache 2005

AU BAROSSA VALLEY	14,5%	🔄 ◉
750 ML	€ 9,49	SMS 1080

proeven & ruiken Gelooft u in die goudkleurige, bronzen of zilveren *blingbling* medailles op de fles? Ik verdenk sommige concoursen ervan dat ze door de wijnboeren zelf uitgeroepen zijn. Niks daarvan in dit geval. Een terechte winnaar in 2003 en 2006 op de International Wine and Spirit Competition. Veel mooi rood fruit, tikje gedroogd soms, wat roast van het hout. Fijne bescheiden grenache-/shirazwijn, die doet wat hij moet doen: een doordrinker zijn bij een lekkere maaltijd. **eten** Ribeye met een mooie bearnaisesaus. Van de grill maar weer eens. **aroma's** Rood fruit, gedroogd fruit, hout.

Valdivieso

Cabernet Sauvignon Barrel Reserva 2005

CL CENTRAL VALLEY	13,5%			
750 ML	€ 7,99	SMS 1082		

proeven & ruiken Zooo cabernet! Mooi in balans met het hout, niet storend of te veel aan de oppervlakte. Veel cassis en wat specerijen. **eten** Lamskotelet van de barbecue of uit de grillpan. **aroma's** Cassis, specerijen, hout.

Boland Kelder

Cabernet Sauvignon 2007

ZA PAARL	14%		
750 ML	€ 6,99	SMS 1085	

proeven & ruiken Veel sap waar hele cabernet-sauvignondruiven in drijven. Correcte wijn, niets mis mee. Eigenlijk best lekker, toch. **eten** Mooi zacht rood vlees met een sjuutje van kalfsfond en rozemarijn. **aroma's** Verse tomaten, tijm, stal.

Ironstone Vineyards
Merlot 2005

Palo Alto
Reserva 2006

US CALIFORNIË	13,5%		✳ 🌐 ⬤	CL MAULE RIVER VALLEY	13,5%		🌐 ⬤
750 ML	€ 9,78	SMS 1089		750 ML	€ 8,49	SMS 1090	🔴

proeven & ruiken Vriendelijk, rood, zoetig gedroogd fruit. Lekker doordrinkend, beetje filmend op de tanden. Ook bij deze geldt: ietsje opfrissen in het koelvak. **eten** Oosters, Chinees of zo. Met sojaboontjes, vijfkruidenpoeder en een lekker schepje rijst ernaast. **aroma's** Pruim, kers, laurier.

proeven & ruiken Romig rood en rijp fruit. Fluweelzacht op de tong, flinke tik cassis en je neus om de hoek van de staldeur. **eten** Slavinken, rood kooltje een paar uur stoven met wat laurier, kruidnagel, een flinke scheut Palo Alto en wat jeneverbessen. **aroma's** Stal, cassis, hout.

Palo Alto

Sauvignon Blanc Reserva 2007

CL MAULE VALLEY	12,5%		
750 ML	€ 8,49	SMS 1092	

proeven & ruiken Maagdelijk gras, 's ochtends vroeg. Uurtje of zeven, als de dauw er nog flink op ligt. Lekker knapperig en fris met zo nu en dan een citroentje, wat mineralen en een klein beetje aardsheid. **eten** Pasta's, risotto's, alles wat zwemt, mits het niet te vettig is. **aroma's** Gras, citrus, mineralen.

Shingleback

Cellar Door Chardonnay 2007

AU MCLAREN VALE	13,5%		
750 ML	€ 9,49	SMS 1093	

proeven & ruiken Kelderdeurchardonnay. Zegt ons helemaal niets, maar in Australië een bekend fenomeen. Betekent zoiets als 'bij de boer gekocht'. Ware het niet dat de meeste Australische boeren niet echt kneuteren, doch vaak megagrote producenten zijn. De chardonnay van Shingleback toont zich ook groot, in smaak en aroma's, zonder vet of log te worden. Mooie wijn vol rijke fruit- en bloemenaroma's. **eten** Schol, sliptong, coquilles. Mooi botersausje ernaast. **aroma's** Banaan, meloen, mango.

Palacio de Pimentel

Verdejo 2007

ES RUEDA	12,5%		
750 ML	€ 6,99	SMS 1230	

proeven & ruiken Het hoeft niet altijd hemelbestormend te zijn. Soms even pas op de plaats en een lekker mijmerwijntje. Een dat niet te veel kost, maar je wel het maximum aan plezier geeft. Verdejo uit de Spaanse Rueda is eigenlijk altijd wel goed. **eten** Oesters, krab, haring, garnalen. Lekker vissig. **aroma's** Mandarijn, citrus, bloem.

Domaine de l'Amaurigue

Rosé 2007

FR PROVENCE	13,5%		
750 ML	€ 6,99	SMS 1252	

proeven & ruiken Een jaar geleden kwam ik op het Château van Dick de Groot. Daar zat hij in zijn tuin met zijn twee meter lange, betoverend roodharige dochter Fleur. 'Naar haar heb ik mijn andere rosé vernoemd,' zei Dick. Fleur ging de week daarna trouwen. Een jaar later liep ik Fleur tegen het lijf in Amsterdamse De Lairessestraat. Hoogzwanger, hoe kan het ook anders. 'Geen rosé meer hè, voor jou,' zei ik grijnzend. 'Heb jij wel eens leren spugen, Cuno?' antwoordde Fleur. Slik... Spannende, rondborstige, friszure rosé met een mooie structuur en verraderlijke aroma's die blijven verrassen. **eten** Carpaccio, vis, schaal- en schelpdieren. **aroma's** Frambozen, aardbei, specerijen.

Stofjassen

Jaren geleden werkte ik op spuugafstand van een grote slijterijketen. Iedere keer als ik er mijn neus in de schappen stak, kwam heel schichtig vanuit het magazijn de bedrijfsleider toegesneld. Niet uit interesse in een nieuwe klant of vanuit de behoefte iemand aan een mooie wijn te helpen, maar – naar ik later begreep – uit angst om ontdekt te worden. Als hij binnen de straal van je reukvermogen trad, kwam je een schrale alcoholkegel vermengd met de geur van zware shag tegemoet. 's Ochtends, 's middags, het maakte hem niets uit, hij dronk zich door zijn eigen voorraden heen. De klanten die hij nog had, dankte hij aan het feit dat er in de wijde omgeving geen enkel fatsoenlijk alternatief was.

Mede deze ervaring dreef mij destijds steeds meer in de richting van de betere wijnwinkels. Daar werkten mensen die je met hun verhalen meenamen op een lange reis langs grote châteaux en wijnvelden. Mensen met vakkennis, die mij de lekkerste wijnen lieten proeven. Hierdoor kwam ik voor mijn wijn zelden tot nooit meer in supermarkten of slijterijen.

Door toeval stapte ik afgelopen zaterdag voor het eerst sinds tijden een heel andere slijterij binnen. Tussen de schappen met stoffige en hoog opgestapelde flessen wijn schiet ik een medewerker aan voor advies. Volslagen tegen mijn verwachting in begint de man een lang verhaal over 'zijn' soms onbekende, vaak nieuwe, maar vooral heerlijke wijnen. Ik sta perplex. Een winkel waar ik nooit kwam, een man met zoveel gevoel en passie voor zijn product. Een half uur later sta ik buiten met een fles Santa Rita 120, aangeschaft voor €6. Volgens de vriendelijke meneer een *'limited release'*, gemaakt van de drie grote C's: cabernet sauvignon, carmenère en cabernet franc. Volgens mij een grote commerciële wijn uit de Rapelvallei in Chili, die ik vanwege zijn niet-unieke karakter zelf niet gauw zou aanschaffen. Thuis blijkt hij echter goed te passen bij vers stokbrood met Spaanse droge worst en oude kaas. Lekker zwart fruit, dropjes, licht hout en een klein bittertje ontdek ik in deze rijke wijn. Een heerlijk advies uit onverwachte hoek. The return of the supermarktslijterij?

Lanava

Chardonnay 2007

ES CASTILLA Y LEÓN	12,5%			
750 ML	€ 7,50	SMS 1006		

proeven & ruiken Mooie, frisse, lichte fonkeltjes lachen je vanuit het glas vriendelijk toe. En de neus maakt dat aardig waar. Appel met wat citroen en carambola. Her en der wat galiameloen. De mond zegt pats! Veel zuur, maar dan wel op de lekkere manier, om hem de juiste ruggengraat te geven. Drink hem niet te koud, dan komen het eerder genoemde fruit, maar ook wat peper en nootmuskaat nog mooier tot hun recht. **eten** Een oestertje weiger ik zelden, vooral die kleine doorslikkers niet. Ik zeg dan ook meteen: Lanava Chardonnay, het Spaanse oesterwater. **aroma's** Citroen, meloen, specerijen.

Rive Haute

Pacherenc Reserve 2005

FR PACHERENC-DU-VIC-BILH	13,5%			
500 ML	€ 8,94	SMS 1028		

proeven & ruiken Zó lekker als dessertwijn, maar ook waanzinnig als aperitief. Plemp er een klontje ijs in. *What the hell.* Terrasje erbij en het wordt genieten in de zomer van 2009. Veel amandel, gele perzik en ik ontdek zelfs een staartje botrytis – edele rotting. Hoewel het etiket daar niet over rept. **eten** Puur, on the rocks, of fijn met een stuk blauwe kaas. **aroma's** Amandel, perzik, honing.

Commissioner's Block

Viognier 2007

AU SOUTH EAST AUSTRALIA	13,5%		
750 ML	€ 5,50	SMS 1036	C C C

proeven & ruiken Complimentje voor de wijnmaker: voor de eerste keer tref ik een goed achteretiket aan. Geen geneuzel over fantasierijke aroma's en curieuze wijn-spijs-combinaties, maar duidelijk en treffend. Wijn van viognierdruiven, niet makkelijk, vooral niet in het door warmte en droogte geteisterde Zuidoost-Australië. Toch een waanzinnig glas met alle fruit en kruiden die je in een stoere viognier wil. Drie Cuno's! **eten** Lekker wokken, vissauzen, knapperverse groenten en een mooi stukje kip of vis. Oosters, dus. **aroma's** Abrikoos, specerijen, noten.

Ontañón

Crianza 2004

ES RIOJA	13%		
750 ML	€ 9,50	SMS 1046	C-C

proeven & ruiken Crianza, dat staat in Spanje voor minimaal zes maanden hout-opvoeding. Dat ze er bij Ontañón voor hebben gekozen om er een half jaartje aan vast te plakken, dat is te merken. *Serious business.* Mooi rood fruit als kers, aardbei en wat aalbes verschuilt zich schielijk tussen de zacht geroosterde eikenbomen. **eten** Even serieus de kookboeken induiken en op zoek gaan naar een stevig gerecht met wild, mooi vlees of een subtiel plakje pata negra. **aroma's** Kers, aalbes, hout.

Lanava

Merlot Tempranillo 2004

ES CASTILLA Y LEÓN	13,5%		
750 ML	€ 7,50	SMS 1047	

proeven & ruiken Merlot en tempranillo samen, tien maanden hout. Dan verwacht je al snel een flinke zoetigheid. Geen denken aan: mooi afgerond, met zwarte bessen, wat kers en niet te veel tannines. Doe hem eens een minuutje of vijftien in de koelkast voor een lekker verfrissend gevoel. **eten** Worst: gedroogd, vers of in welke andere variant dan ook. Als ze maar mooi gekruid zijn. Hammen of stoofschotels: *no prob, dude!* **aroma's** Zwarte bessen, kers, hout.

Viña Leyda

Sauvignon Blanc Classic Reserve 2006

CL LEYDA VALLEY	13,5%		
750 ML	€ 7,50	SMS 1055	

proeven & ruiken De eerste neus geeft een verdomd serieuze indruk. Een beetje aards, met heel veel frisse tonen. Kleine windstoten die de zilte geur van het golvende zeewater zo je neus indrijven. Veel wit fruit met een opmerkelijk schoon mondgevoel en een aangename afdronk. **eten** De kaasplank, na het eten: geen rood, maar wit is het devies. Sauvignon blanc van deze klasse vindt zijn weg het best bij de harde en jonge geitenkazen. **aroma's** Aards, perzik, grapefruit.

Domaine D'Astruc
Viognier 2006

Gorilla
Primitivo 2006

FR LANGUEDOC	13%			IT PUGLIA	13,5%		
750 ML	€ 6,95	SMS 1242		750 ML	€ 5,95	SMS 1243	

proeven & ruiken De jonge honden van de Grapedistrict wijnwinkels houden de markt nauwlettend in de gaten. En daar kiezen ze hun producenten ook op uit. Domaine D'Astruc gaat met zijn tijd mee en is flink 'marketing driven'. Viognier gaat het helemaal worden deze winter en in het vroege voorjaar. Lekker warm en rond, vol en goed aromatisch. **eten** Lichte desserts of stevige zeevruchtendiners. Fruits de mer bijvoorbeeld. **aroma's** Abrikoos, pruim, hooi.

proeven & ruiken De naam Gorilla doet wat verwachten. Een stoere, sterke wijn die je als een alfamannetje komt verslaan. Niks daarvan. Zacht en rond, mooie fijne tannines, heerlijk zacht rood fruit. Alfamannetje, *dûh*. **eten** Tapas, lasagne met rode gehaktsaus, net als pasta met diezelfde saus. Lekker biefstukje of mooie entrecote. **aroma's** Kersen, cassis, specerijen.

Espelt
Saulo 2006

ES COSTA BRAVA	13,5%			AU YARRA VALLEY	14,5%		
750 ML	€ 7,95	SMS 1244		750 ML	€ 9,94	SMS 1245	

Yering Station Frog
Cabernet Shiraz 2004

proeven & ruiken Espelt maakt zijn Saulo van garnacha- en careninadruiven. En dat huwelijk zorgt voor een mooie combi in rond, rood fruit en bloemige aroma's, met zwarte peper en wat specerijen. Stoere wijn met een zachtaardig karakter. Net zoals de fles. Hardroze met een 'lullig' buitenaards wezentje erop. De wijn zelf staat gewoon met beide benen op de grond. *Thank god!* **eten** Tapas, stevig rood vlees, stoofpotjes. **aroma's** Kersen, rood fruit, hout.

proeven & ruiken Door die kikker op het etiket word je aardig misleid. Menig tafelgenote is hem hartstochtelijk gaan kussen. Geen verandering te bespeuren. De inhoud bleek al van prinselijke kwaliteit te zijn. Lekker stevig met mooie wilde bramen, zwoele kersen en een aantrekkelijke tannine die hem flinke sprongen laat maken. **eten** Stevige grillgerechten. **aroma's** Braam, kers, laurier.

'Een licht houtaroma ondersteunt het fruit en zorgt voor mooi afgeronde tannines in deze elegante wijn,' lees ik op het etiket van de fles chardonnay die voor me op tafel staat. Op datzelfde moment marcheert een leger van half afgebrande dennen-bomen vanuit het glas mijn neus in. Veel te lange houtlagering, constateer ik; de wijn wordt opgeslokt door een geur van geroosterd hout, teer en plakkerige vanille, die een logge, zure indruk achterlaat.

Houtlagering – rijping van de wijn in houten vaten – is een veel toegepaste methode om meer smaak en een langer leven te garanderen. Na de gisting gaat de wijn in de vaten, waar hij, afhankelijk van de gewenste mate van rijping, soms tot wel zesen-dertig maanden verblijft. Qua smaak wordt hij kruidiger, hij krijgt een ondertoon van vanille, een lichte zoetigheid en enige scherpte, wat allemaal samenhangt met het type hout dat gebruikt wordt voor de vaten en de manier waarop deze bewerkt zijn. Frans, Spaans of Amerikaans eiken, maar ook kersen- of dennenhout zijn veelgebruikte soorten. De tannines die het hout loslaat, zorgen voor complexiteit en verlengen de houdbaarheid. Daarna kan gekozen worden voor een 'toasting'; het vat wordt dan aan de binnenkant gebrand. Hoe meer het gebrand wordt, hoe meer de bekende 'geroosterd brood'-aroma's ontstaan. Om de kosten van de dure houten vaten uit te sparen wordt ook wel met houtsnippers of soms zelfs hele palen gewerkt, die bij de wijn in roestvrijstalen tanks worden gegooid.

Amerikanen, *they love it*; het levert namelijk stoere, stevige en mondvullende krachtpatsers op. Onder invloed van de Ameri-kaanse wijnjournalist Robert Parker, die verzot is op overdadig houtgebruik, zijn steeds meer wijnboeren zware houtgelagerde wijnen gaan produceren. Eerst de Amerikanen, en later volgde ook de rest van de wereld, wat uitmondde in zware barolo's en heftige bordeauxwijnen. Helaas verdwenen door dit modeverschijnsel in veel gevallen het delicate karakter en de fijne nuances. Gelukkig zijn modegrillen van voorbijgaande aard. Langzaamaan zie je dat boeren weer kiezen voor de goede smaak en komen er subtiel uitgebalanceerde wijnen op de markt, met nét dat beetje hout dat vereist is om er een heerlijke wijn van te maken.

Enseduna

Cabernet Franc Rosé 2007

FR VDP DES COTEAUX D'ENSERUNE	13%	

750 ML	€ 5,50	SMS 1004

proeven & ruiken Cabernet franc: geen gemakkelijke druif om te mee te werken. Maar je maakt er – mits je de strikte regels van het spel kent – zulke heerlijke wijnen mee. De neus doet vermoeden dat we hier te maken hebben met een rode wijn. Veel rode bessen, wat kersjes en een kruidigheid die aan de versgebakken appeltaart van oma zaliger doet denken. Op de tong is hij fris, met kers, maar niet te kersig. Metro-mannelijk. Stevig met ronde, vrouwelijke kanten. Drink hem jong, heel jong. **eten** Typische saladewijn. Geen fratsen met te zware gerechten. Heerlijk fris met kaas, mooie olijfolie, citroen en olijven. Ook een aanrader bij quiches. **aroma's** Rode bes, kers, kruidig.

Sumarroca

Chardonnay 2007

ES PENEDÉS	13%	

750 ML	€ 5,99	SMS 1005

proeven & ruiken Het neusje verraadt enige vettigheid, die zich voordoet alsof deze Spaanse vrind een paar maandjes in het hout heeft gelegen. Niets blijkt minder waar te zijn volgens het achterlabel. Frisse witte fruittonen van rijpe appels en wat ananas. Eenmaal op de tong glijdt hij met gemak langs de huig. Geen vettigheid, maar mooie zuren. Stiekeme bitters achterin maken hem tot een serieuze kameraad. Lekker doordrinken! **eten** Vettige vis. Althans, vis met vettige sauzen. Rijke schotels en salades. Een stukje niet gegrilde varkenskotelet (bio) gaat ook tot een mooie samenzwering leiden. **aroma's** Ananas, appel, kruisbes.

Enseduna
Marselan 2007

Duo
Chenin-Chardonnay 2008

FR LANGUEDOC ROUSILLON	13,5%		AR MENDOZA	13%	
750 ML	€ 5,50	SMS 1045	750 ML	€ 5,50	SMS 1058

proeven & ruiken Kersen! Dat is het eerste wat in de neus schiet, onvervalst. Later wordt dat wat gedroogde pruim en in de mond een lichte zoetigheid. Vandaar ook die Aziatische dinertip. Doet het altijd fijn, zo'n zoetje bij zoutige sojasaus. **eten** Aziatisch, met lekker veel gefermenteerde sojabonen, gefrituurd, zelfs wat Japans. **aroma's** Kers, pruim, hout.

proeven & ruiken Jong en verfrissend, wat zijn we daar dol op. Dartelende mandarijntjes, sinaasappeltjes en een klein beetje citroengras. Zachtjes rollend, kirrend bijna, door een klein beetje gesmolten boter. **eten** Oosterse kip, misschien wel de ordinaire variant met zoetzure ananas en perzik. Yuk, wat kan ordinair soms lekker zijn. **aroma's** Mandarijn, sinaasappel, citroengras.

Chat-en-Oeuf

2006

FR CÔTES DU VENTOUX	14%		
750 ML	€ 5,00	SMS 1076	

proeven & ruiken Geintjes maken, dat kunnen die Fransen wel – hoewel, meestal zijn het oude knorrepotten. Dit keer niet. De kat op het ei binden, of op het spek? We zijn er nog niet uit. Veel jonge rode bessen, rode pepers en pure chocoladehagelslag. **eten** Barbecuen lijkt het beste advies. **aroma's** Jonge rode bessen, rode peper, chocolade.

Domaine Saint Martin

Côtes du Rhône 2006

FR CÔTES DU RHÔNE	13%		
750 ML	€ 5,50	SMS 1078	

proeven & ruiken Jee. Eentje om stil van te worden. Licht van kleur, fris van smaak. Ook hier weer heel veel jong rood fruit en wat verse vijgen. Gemaakt door een Nederlander, die waarschijnlijk precies weet wat wij Nederlanders zo fijn vinden. En ook dat we niet te veel willen betalen. **eten** Een mooie zeebaars op de huid gegrild, met misschien wel een mooie jus van kalf. Wat geschaafde amandel erover. Simpel kan ook: karbonaadje uit de grillpan met een eenvoudig, lekker sjuutje. **aroma's** Vijg, rode bes, stal.

Duo

Tempranillo-Malbec 2007

Château Belingard

Bergerac Rosé 2007

AR MENDOZA	13%		FR BERGERAC	12,5%	
750 ML	€ 5,50	SMS 1079		750 ML	€ 5,50	SMS 1094

proeven & ruiken Echt Hema, roepen ze om het hardst in hun commercials. En waarachtig, ze hebben gelijk. Zacht, fluweelzacht. Lekkere fruittoontjes, wat florale tonen hier en daar. Licht gekoeld, voor, tijdens en ook zelfs na het eten. **eten** Zachte Goudse kazen. Tomatensaus over de pasta. **aroma's** Rode bessen, amarenen (kersen op sap).

proeven & ruiken Schatten van mensen zijn het, Sylvie en Laurent de Bosredon. Met een rijke fantasie, getuige alle verhalen die ze kunnen vertellen over hun wijngaarden in de Bergerac, waar soms geesten verschijnen en ieder jaar een orakel wijze spreuken zou spuien. Hun rosé staat gewoon met beide benen op de grond. Fris en veel rood fruit. IJskoud drinken op het terras, in de tuin, bij het eten of, ach, een glaasje in bed smaakt ook prima. **eten** Zuidelijke gerechten, olijven, worst, kaas, gegrild vlees. Maar ook salades met 'inhoud'. **aroma's** Kers, rode appels, bramen.

Charles Gruber
Bourgogne 2007

FR BOURGOGNE	12,5%		3K ⚪
750 ML	€ 7,50	SMS 1098	C C C

proeven & ruiken Ik schreef een aantal jaren geleden al over deze in de fles gevatte chardonnaydruifjes van de Hema. Een mooi tropisch glas bourgogne zonder al te veel opsmuk. De bloemetjes dansen je tegemoet, omringd door appel, peer en een citroenschilletje. Smullen op niveau voor een kleine zeven euro. **eten** Vettige vis, stukje gerookte zalm, kip in 't pannetje. Of ook lekker: boerenkoolstamppot met gerookte worst. **aroma's** Gele zoete appel, peer, citroenschil.

Daria Verdicchio dei Castelli di Jesi Classico Superiore 2007

IT MARKEN	13%		3P 〇
750 ML	€ 7,50	SMS 1101	C

proeven & ruiken Waar ik normaal niet sta te springen om de verdicchiodruif, maakte ik hier toch een heel klein sprongetje van geluk. Mooi fris en knisperig. **eten** Schelp- en schaaldieren, stevige visgerechten. **aroma's** Citrus, specerijen, grapefruit.

Cave de Viré
Mâcon-Chardonnay 2007

É
Rosé 2007

FR MÂCON	13%			ES CASTILLA Y LEÓN	13,5%		
750 ML	€ 6,50	SMS 1109		750 ML	€ 5,50	SMS 1116	

proeven & ruiken Cisca Breedijk, de doortastende inkoopster van de Hema, die snapt wel waar je moet zijn voor lekkere wijn. Zijdezacht en superverfrissend, met allemaal kleine aantrekkelijke neusverrassinkjes. Gekkig weetje: de wijn is gemaakt van chardonnay én komt uit Chardonnay. Een klein dorpje vlak bij Mâcon. **eten** Zo, of met een visje, een vogeltje of een mooie rijke salade. **aroma's** Banaan, carambole, boter.

proeven & ruiken Bootje varen, lekker gezelschap en ongecompliceerd genieten van deze gemakkelijke rosé. Waarom moet wijn 'moeilijk' of 'interessant' zijn? Soms mag je het best even onnadenkend naar achter gooien. En daar leent de É zich uitermate goed voor. Wil je toch wat verder, dan ontmoet je al snel zijn rijke en frisse fruitlaagjes. **eten** Tapas, salades, vis. **aroma's** Aardbei, braam, framboos.

Tesoruccio

Montepulciano D'Abruzzo 2006

IT ABRUZZO	13%	
750 ML	€ 5,00	SMS 1124

proeven & ruiken Typische montepulcianodruiven. Veel gedroogd fruit, toch wat frisheid en een lekkere tannine om hem wat ruggengraat te geven. Geen zomaar-voor-tussendoor-wijn. Hier moet bij gegeten worden. **eten** Alles Italiaans, als het maar tomaat heeft en wat vlees in de vorm van gehakt of mooi rood vlees. Veel smaak! **aroma's** Gedroogd fruit, hout, kers.

Tesoruccio

Sangiovese Terre di Chieti 2007

IT ABRUZZEN	13%	
750 ML	€ 5,00	SMS 1137

proeven & ruiken Sangiovese, letterlijk vertaald: bloed van Jupiter. In Toscane maken ze er in de regel stevige jongens van. Deze is lekker eenvoudig en *easy to drink*. Vleugje kers en een likje framboos. **eten** Pasta's, van alle soorten. Lichte tomatensaus erbij, niet te veel kaas erover. **aroma's** Framboos, kers.

Amplio
Graciano 2006

Kanooga
Cabernet Sauvignon 2005

ES LA MANCHA	13,5%		AU COONAWARRA	13,5%	
750 ML	€ 5,50	SMS 1154	750 ML	€ 8,50	SMS 1163

proeven & ruiken Bio, en dat proef je. Zuiver op de tong en fris in de neus. Pruimen, laurier, rode besjes, peperkoek, vijgen. *You name it*, het zit er allemaal in. Voor dat geld! Het zou verboden moeten zijn. **eten** Ideaal als starter vóór de maaltijd. Met toastjes van alles. Tomaat en basilicum, paté, worst en nog meer lekkers. **aroma's** pruimen, rode bessen, specerijen.

proeven & ruiken Die Australiërs zijn nog wel eens geneigd om de wijn zo lang in (foute) houten vaten te laten liggen, dat je bek samentrekt van het zuur. Bij Kanooga (spreek uit kanoeka) verstaan ze wel de kunst van het houtlageren. Mooie cassistonen met een gezonde houtinvloed die mooi geïntegreerd is. Nu nog even die lelijke kunststof kurken afschaffen en ik ben helemaal blij! **eten** Stevige grillgerechten. Groenten en vlees. **aroma's** Cassis, hout, confiture.

Kanooga
Shiraz 2004

AU BAROSSA VALLEY	14%		
750 ML	€ 8,50	SMS 1165	

proeven & ruiken We hadden al de cabernet sauvignon van Kanooga. Nu de shiraz. Die gaat mijns inziens net effe een stapje verder. Mooie kruidigheid, veel sap en heerlijk fruit met een perfect mondgevoel. **eten** Niet twijfelen! Lam, in al zijn verschijningen. Geroosterd, gestoofd, gegrild of gebakken. **aroma's** Pruimen, tabak, rode bessen.

Antonio
W' 2007

ES RUEDA	12,5%		
750 ML	€ 5,50	SMS 1176	

proeven & ruiken Waarom is deze wijn uit de Spaanse Rueda, gemaakt van verdejo- en viuradruiven, zo verdomde populair? Omdat hij zo hemelbestormend lekker is. De ideale terraswijn: onder een parasolletje lekker genieten, zonder keihard over een 'complexe' wijn te hoeven nadenken. **eten** Salades, visjes, gegrild of gepocheerd. **aroma's** Limoen, appel, peer.

Wijn-spijs-geweld

'De Hautes Côtes de Beaune uit 2004 vormt een perfect huwelijk met uw fazant en zuurkool.' In een vlaag van geestelijke afwezigheid hoor ik mezelf zeggen: 'Ik vrees dat deze rode bourgognewijn een teveel aan zuren heeft, maar u bent de specialist, dus laat ik het graag aan u over.' Ik zit in een prestigieus restaurant in het Gooi en heb besloten me vandaag over te geven aan de strapatsen van de sommelier. Vaak leidt dit tot nieuwe en verrassende inzichten, maar soms helaas ook wel eens tot een teleurstellende bevestiging van mijn ideeën.

Zo ook deze keer. De wijn die voorgesteld werd bevat veel zuren. Deze zullen in botsing komen met de zuren in de zuurkool, wat een zuurexplosie in je mond teweegbrengt. Conclusie: zuur plus zuur wordt té zuur. Een andersoortig conflict heb je met gerechten die een hoge pH-waarde hebben, zoals gerookte kip en vis. Als je die combineert met wijnen die een hoog zuurgehalte (en dus lage pH) hebben, krijg je een storende, metalige sensatie in je mond, een beetje een rasperig gevoel op je tanden. Probeer maar eens een slok riesling bij een stukje gerookte paling. Beter is dit te combineren met een zachtere, houtgelagerde wijn, zoals een chardonnay. Maar ook veel tannines in de wijn bij veel zuur in het gerecht of gerechten met een hoog eiwitgehalte zoals vis in combinatie met tannines gaan allemaal de fout in en zullen een onaangename ervaring opleveren.

Combinaties maken is leuk en spannend en als je even nadenkt best eenvoudig. Het is van belang dat je op zoek gaat naar de harmonie tussen aroma's in de wijn en de smaken op je bord. Het hoofdbestanddeel, maar vaker nog de sauzen en de bijgerechten, bepalen de smaken. Ga altijd op je gevoel af.

De fazant met zuurkool had het bijvoorbeeld veel beter gedaan met een frisse chardonnay uit de Bourgogne of een riesling uit Duitsland. Op naar excellente smaakcombinaties!

Fattoria le Pupille

Morellino di Scansano 2006

IT GROSSETO	13,5%			SP ◉
750 ML	€ 9,94	SMS 1019		⊙

proeven & ruiken Deze wijn staat zijn mannetje. We zouden hem graag als macho-wijn typeren, ware het niet dat hij na verloop van tijd zijn vrouwelijke kant laat zien. Veel elegant rood fruit en een lichte hint van marse-pein. Een metrowijn bij uitstek! **eten** Een lekkere côte de boeuf. Stoer eten dus. Maar dan wel met een subtiel feminiene saus erbij. **aroma's** Rode bessen, marsepein, tomaat.

De Martino

Legado Reserva Chardonnay 2007

CL LIMARÍ VALLEY	14%			EK ◍
750 ML	€ 7,95	SMS 1039		⊙

proeven & ruiken Die Chilenen zijn mazzelaars met dat Andesgebergte. Het houdt de wolken vast voor de nodige regenval en bij extreme droogte komt er vanzelf smelt-water naar beneden. Bereid je voor op de bekende boterbabbelaar of de Engelse fudge, die mooi in balans gebracht wordt door de zuren en mineralen. Drink hem jong, maagdelijk jong! **eten** Zoutige en stevige gerechten. Een lekker stuk blauwe kaas, of gevogelte. Nee, knal er een mooie klassieke caesarsalade naast. **aroma's** Boterbabbelaar, per-zik, noten.

Pascual Toso
Malbec Reserve 2006

De Martino
Legado Reserva Carmenère 2006

AR MENDOZA	14,5%	🔲 ⚫	CL MAIPO VALLEY	14,5%	🔲 ⚫
750 ML	€ 8,94	SMS 1071	🔗🔗	750 ML	€ 7,95	SMS 1084	

proeven & ruiken Man, de neus, die doet gedroogd fruit, afgewisseld met kersen, zongedroogde tomaten, wat cassis en her en der een hint van kaneel en kruidnagel. In de mond heel veel sappigheid. Verse wijn, en dat na twee jaar liggen, waarvan eentje in eikenhouten vaten. Daar worden we toch echt een beetje stil van. **eten** Sukadelapjes, langzaam gegaard. Ossenhaasje met een mooie saus. Alles, als het maar rood, gevogelte en gegrild is. **aroma's** gedroogd fruit, zongedroogde tomaten, specerijen.

proeven & ruiken Die carmenère staat zo onderhand garant voor een flinke dosis alcohol. Een relatief hoog zoetigheidsgehalte, zongedroogde tomaten en wat rijp fruit. Doorgaan zo, maar volgend jaar een graadje minder alcohol s.v.p. **eten** Lasagne met veel tomatensaus, een flink stuk parmezaan erbij. **aroma's** Zongedroogde tomaten, rijp rood fruit, hout.

Beaujolais-liefde

Marcel had het al bijna opgegeven. Jarenlang waren hij en Marie heimelijk verzot op elkaar. Als de familie op zondag bij vrienden op bezoek was, zochten zij elkaar op. Uren wandelden ze door het glooiende landschap van de Beaujolais. De ontluikende druivenknoppen in het voorjaar, volle trossen van de mooiste gamaydruiven in het najaar en dieprode, uitgeputte bladeren na de oogst trokken aan hen voorbij. Onstuitbaar verliefd, maar tegelijk bang dat haar vader nooit toestemming zou geven voor een huwelijk met de zoon van zijn meest gevreesde concurrent.

Misschien heeft dit romantische relaas werkelijk zo plaatsgevonden. Feit is wel dat Marcel Lapierre en zijn vrouw Marie nu gerespecteerde wijnmakers zijn in Villié Morgon. Ze produceren wijn met aandacht en respect voor de omgeving. Geen overhaaste productiemethoden en geen chemische bestrijdingsmiddelen. Nadat iedere druiventros met de hand van de vijfenveertig jaar oude wijnranken is geplukt, worden de druiven gekneusd en wordt het sap opgevangen. Daarna laat Marcel de most – het druivensap vóór de gisting – uitsluitend met natuurlijke gisten langzaam ontwikkelen tot een mooie wijn. Sulfiet, dat veelvuldig toegevoegd wordt om de wijn te conserveren en waar je bij te gortig gebruik hoofdpijn van krijgt, is taboe in hun wijnen. Puur en ongefilterd worden ze gebotteld.

De Beaujolais, vooral bekend door de Beaujolais Nouveau waar de Japanners helemaal voor gaan, maar waar wij onze neus voor optrekken vanwege zijn enkelvoudigheid en hoge zuurgraad, biedt een schat aan mooie wijnen. Richt je vooral eens op de cru's, de betere gebieden, waarvan er twaalf zijn, zoals Morgon, Saint-Amour, Juliénas en Fleurie. Daar komen de mooiste beaujolais-wijnen vandaan, die het verdienen om gedronken te worden. Als ze dan ook nog eens op eerlijke wijze gemaakt worden, zonder toevoeging van allerlei 'shit', met liefde voor het product en de natuur, kunnen wij er nog jaren van blijven genieten.

McGuigan Estate
Chardonnay 2006

AU SOUTH AUSTRALIA	12,5%		
750 ML	€ 5,99	SMS 1037	

McGuigan Estate
Limestone Shiraz 2005

AU SOUTH AUSTRALIA	13,5%		
750 ML	€ 5,99	SMS 1083	

proeven & ruiken De broertjes McGuigan hebben hier toch een aardig karwei geleverd. Een *middle-of-the-road*, commerciële chardonnay die verdomd goed te doen is. Mooie kalkrijke neus, met wat tropische fruitvarianten. Banaan, ananas en lekkere frisheid van citrus. **eten** Mits goed gekoeld lekker bij salades met avocado, walnoten, maar ook bij iets oosters of een stevige pasta. **aroma's** Citrus, banaan, noten.

proeven & ruiken Een gelikte wijn met weinig scherpe kantjes. Wat zacht rood fruit, kaneel en wat subtiele stalachtigheid. Mooi geprijsd, dan mag ie best een beetje gelikt zijn. **eten** Harde schapenkaas. Het lam zelf mag de kaas voorafgaan, op de grill of in de stoof. **aroma's** Rood fruit, kaneel, stal.

Martini

Prosecco

IT VENETO	10,5%		
750 ML	€ 6,49	SMS 1132	

proeven & ruiken Twee dingen vallen aan deze wijn op: 1. de kroonkurk en 2. de zuurtjes die hem net iets aangenamer maken dan het gros van de prosecco's die je op een terras te drinken krijgt. Het is en blijft moeilijk om een goed glas te maken van de proseccodruiven. Martini is er aardig in geslaagd. **eten** Terras! Vooral niets bij eten. Nou oké, wellicht een klein knabbeltje. **aroma's** Citrus, banaan.

Bewaren of drinken?

Het najaar, de tijd waarin iedereen meer en betere wijnen consumeert, zou voor de wijnliefhebber de meest hoopgevende periode moeten zijn. Door het jaar heen koop of krijg je flessen die, afgaand op de gever, de gids, de verkoper of de prijs, hoge verwachtingen wekken. Met de grootste zorg behandel je de flessen, je legt ze netjes onder in het wijnrek, wachtend op die speciale gelegenheid. Het kerstdiner met ouders, schoonouders, vrienden of lekker alleen. Of bubbels die wachten op de jaarwisseling, wanneer ze bevrijd worden van hun kurk teneinde voor het nieuwe jaar de kwade geesten af te schrikken.

In werkelijkheid blijken deze feestmaanden echter vaak een teleurstellende wijndrinkperiode te zijn. Er komt weinig feestelijks uit de wijnrekken. De meeste wijnen vallen tegen: ze zijn te zuur, geoxideerd en voldoen niet aan de verwachtingen.

Nederlandse huizen lenen zich over het algemeen niet voor het bewaren van wijn; erger nog, de meeste wijnen zijn volledig ongeschikt om lang te bewaren. Matige wijnkwaliteit en centrale verwarming zijn hier de boosdoeners. Een wijn die enig bewaarpotentieel heeft, is gebaat bij een constante temperatuur en weinig licht. Het aan- en uitzetten van de radiator laat hem helemaal in de stress schieten. Een fles champagne staat vaak al een aantal weken bij de slijter in het volle licht en thuis ondergaat hij dezelfde martelgang; warmte en licht zorgen voor een grote deceptie op 31 december.

Frank Jacobs en Gert Crum, twee nationale wijncelebs, hebben hier een leuk boekje over geschreven: *Wijn en bewaren, van trapkast tot wijnkelder* (Het Spectrum, 2006). Een zeer duidelijk en overzichtelijk boek waarin ze de basisprincipes van het opleggen (wijn bewaren) uit de doeken doen, de vloer aanvegen met alle fabels rond het bewaren ('hoe ouder hoe beter'), maar ook algemene tips geven over keldergereedschap, proeven en serveren. Prima compact boekje, weliswaar met een licht jaren 70-karakter door de traditionele vormgeving.

Drink je wijn snel, tenzij je zeker weet dat hij bewaard kan worden. Bewaar hem in dat geval in een constante, koele omgeving. Liefst nog trillingsvrij ook. Champagne: zelfde principe; alles zonder vermelding van het oogstjaar – de non-vintages – zo snel mogelijk opdrinken. Knallen met die hap.

Sensi
Chianti Riserva 2004

Villa Maria
Sauvignon Blanc Private Bin 2007

IT CHIANTI	13%			
750 ML	€ 6,29	SMS 1018		

NZ MARLBOROUGH	13,5%			
750 ML	€ 8,78	SMS 1034		

proeven & ruiken Chianti drink je liever niet te jong. Jaartje of twee, pas dan komen de juiste lekkere aroma's vrij. In deze heerlijke aardse chianti ook sliertjes tomaat, rozen en her en der een stukje chocolade en een walmpje geurende koffieboon. **eten** Volle boerenkaas, maar ook een prima partner voor een pizzaatje van de afhaalitaliaan. **aroma's** Roos, tomaat, koffie.

proeven & ruiken Kaboem! Zo hoort sauvignon blanc te zijn. Fris, stuivend, veel fruitjes. Denk aan (of liever proef) mandarijnen, citroenschil, ananas en een heftige grapefruitnaschok. Met als je net even wat langer ruikt een kleine vleug karamel. Zoals roomboter die na het bakken van een lekkere entrecote wat bruin is geworden. Heel licht. Heerlijk! **eten** Veel vette vis, kabeljauw, mooie sauzen. Maar ook een fijn stukje kalfsmedaillon. Vitello tonnato, roept onze medeproefster. Helemaal geen gek idee. **aroma's** Mandarijn, grapefruit, boter.

Jean-Michel Lourmarin

Brouilly 2007

FR BEAUJOLAIS	12,5%		🟢 ◉
750 ML	€ 6,99	SMS 1048	🟢

proeven & ruiken 'Drink meer beaujolais!' roep ik al jaren, tegen eenieder die het horen wil. De mooiere cru's (dorpjes) kunnen verrassende wijnen opleveren, zoals deze uit Brouilly. Fris, zalvend en met heerlijk jong en rood fruit. Zomerwijn bij uitstek, mits na een korte vakantie (20 minuten) in het koelvak. **eten** Niets, maar als je wilt salade caprese of een pasta met lichte tomatensaus, en schroom niet om er een lekkere pizza tegenaan te knallen. **aroma's** Kers, aalbes.

Inca

Cabernet Malbec 2006

AR CALCHAQUI VALLEY	13,5%		🟢 ◉
750 ML	€ 5,99	SMS 1050	

proeven & ruiken 'Hij valt eigenlijk best mee.' En waarom dan toch in *Cuno 2009*, zul je vragen? Wel, hij is prima als alledaagse wijn. En laten we dat aspect nou niet vergeten. Het is niet altijd feest. **eten** Bij alles dat tegen een rode wijn op kan. Pasta's, sauzen, rood vlees, *you name it*. **aroma's** Aardbei, kers, drop.

Bradgate

Cabernet Sauvignon Merlot 2006

ZA STELLENBOSCH	13,5%		
750 ML	€ 5,99	SMS 1051	

proeven & ruiken Veel voor weinig, heet dit in het Hollands. En dat is het écht. Veel fruit, veel wijn en veel sap voor weinig geld. Meneer Jumbo, goed werk! **eten** Wild, gevogelte, lekker gegrild vlees. Of gewoon op je berenvelletje voor de open haard. **aroma's** Cassis, gedroogd fruit, hout.

Bradgate

Syrah 2005

ZA STELLENBOSCH	14%		
750 ML	€ 5,99	SMS 1086	

proeven & ruiken Het gaat weer goed met de Zuid-Afrikaanse wijnen. We worden steeds enthousiaster! Mooie bramen, een pepertje en fluweelzacht, maar wel aanwezig hout. **eten** Stukje zachte kalfslende, maar daar moet wel een pittig sausje tegenaan, iets op basis van rode wijn? Of is dat een heel gek idee? **aroma's** Bramen, hout, specerijen.

Yellow Tail
Shiraz 2007

AU SOUTH EAST AUSTRALIA	14%	🅢🅟 ⬤
750 ML	€ 5,09	SMS 1088	

Araldica
Moscato d'Asti 2007

IT ASTI	5%	🅢🅚 🌐
750 ML	€ 6,58	SMS 1096	🌀

proeven & ruiken Een bek vol fruit en kruiden. Dat zou de beste kwalificatie kunnen zijn. Feestje in de tuin? Koude winteravond? Opentrekken en lekker ongecompliceerd wegtikken. **eten** Kruidige gerechten. Spaans, Zuid-Amerikaans. Wraps gevuld met van alles en nog wat. **aroma's** Rood fruit, specerijen, hout.

proeven & ruiken Moscato d'Asti, ik smul ervan. Het is laag op alcohol en flink zoet. Zoete mousserende wijnen zijn nog vaak te onbegrepen in Nederland. Je moet ze altijd combineren met een gerechtje anders heb je alleen maar een zoete mousserende mond. Zet je er iets lekkers naast, dan krijg je het 1 + 1 = 3-effect. De derde dimensie. En dan realiseer je je ineens dat er een prachtig glas wijn schuilgaat achter dat zoetje. **eten** Grote stukken blauwe, romige kaas, antipasti, amandelen, schuimtaart, bij voorkeur met hazelnoten. **aroma's** Gele zoete appels, mango.

Bradgate

Chenin Blanc - Sauvignon Blanc 2007

ZA STELLENBOSCH	13,5%	⟳ ▥
750 ML	€ 5,99	SMS 1059	

proeven & ruiken Chenin en sauvignon, de twee druiven die het in donker Afrika zo verdraaid goed doen. Schoon en fris in de mond. Knapperig en toch een beetje romig. Wat een fijne slok. **eten** Zoetwatervis. Ooit wel eens snoek op de markt gehaald? Top! Doen, en sla Van Dam erop na voor een mooi recept. **aroma's** Citrus, banaan, hout.

La Tour Silex

Pouilly-Fumé 2007

FR LOIRE	12,5%		🐗 🌐
750 ML	€ 8,99	SMS 1104	

proeven & ruiken Vroeger dacht ik altijd dat fumé stond voor het rokerige karakter dat deze wijnen konden hebben. Niets bleek minder waar. Hij heeft zijn naam te danken aan de sauvignon-blancdruif, die ze lokaal, daar in de Loire, *blanc fumé* noemen. Fris, mineraal, met een klein beetje, ja, toch weer wel dat gerookte. Fijn! **eten** Vlees én vis, geen probleem. Vlees niet te zwaar, vis met lekkere gekruide sauzen. Gerookte en vettige vissen. **aroma's** Citrus, sinaasappel, hout.

Lionel J. Bruck

Bourgogne Chardonnay 2007

FR BOURGOGNE	13%		🐗 🌐
750 ML	€ 6,38	SMS 1110	↻

proeven & ruiken Lekker, een elegant vetje in deze frisse chardonnay van oude stokken. Mooi handzaam mineraaltje om de boel goed overeind te houden. **eten** Witte vis, gevogelte, mag een beetje gerookt en wat zoutig zijn. **aroma's** Boter, mandarijn, banaan.

Château Pech-Latt

Corbières 2007

FR CORBIÈRES	14%	🐦 ⊗ ⦿
750 ML	€ 5,99	SMS 1131	

proeven & ruiken Doordat het in de Cor-bières hartje zomer soms verzengend heet kan zijn, willen de wijnen uit dat gebied nog wel eens een extra shot alcohol bevatten. Soms lastig, geeft dat branderige vermoeiende gevoel in de keel. Pech-Latt weet het mooi te verbloemen. Heel kruidig en toch fris met kleine fruitbommetjes. **eten** Vlees of gerechten met gegrilde groente. Met tijm, rozemarijn, knoflook en lekkere olijfolie. **aroma's** Specerijen, rood fruit, laurier.

Mas Llaro

Muscat de Rivesaltes 2006

FR RIVESALTES	15%	⊗ ◎
750 ML	€ 8,49	SMS 1135	

proeven & ruiken Weer zo'n fijne dessertwijn waar we thuis te vaak niet aan toekomen. Een glaasje minder tijdens het eten en dan na het eten deze heerlijke nabrander. Knetterfris, met lekkere zoetjes, sinaasappelschil en wat nootmuskaat. Oké, twee glaasjes dan, ook een voor na het dessert. **eten** Aperitief, lekker voor het eten of bij een nagerecht. Bolletje ijs, kaneel, warme vanillesaus. **aroma's** Sinaasappel, specerijen.

Gallo Family Vineyards

Turning Leaf Pinot Noir 2006

US CALIFORNIË	13%		↻ ◉
750 ML	€ 7,19	SMS 1157	⟳

proeven & ruiken De Gallo-broertjes, Ernest en Julio. Het grootste wijnbedrijf van de Verenigde Staten. Helaas is Ernest 'ons' vorig jaar op 97-jarige leeftijd ontvallen. Wat niet wil zeggen dat ze er mindere wijn om maken. Enigszins commerciële wijn, dat wel, maar geenszins slecht. Deze pinot noir: als je hem in het glas hebt zou de kleur je bijna op het verkeerde rosé-spoor zetten, maar in de neus en de mond: helemaal rood. Kersjes, zwarte peper en een frisse afdronk. **eten** Aziatisch, Thais bijvoorbeeld. Helemaal geen probleem voor dit 'pinootje'. **aroma's** Kersen, zwarte peper, rode bessen.

Conviviale
Primitivo 2007

Eagle Crest
Chenin Blanc Chardonnay Viognier 2008

IT SALENTO	14%		🔆 ⬤
750 ML	€ 5,49	SMS 1160	

ZA WESTKAAP	14%		🔆 ◗
750 ML	€ 5,25	SMS 1205	

proeven & ruiken Het achterlabel van deze primitivo heeft het over cranberry's. Moeilijk, kan me niet meer herinneren hoe die ruiken. Wel donkere kersen, het liefst amarenen, zoals je ze warm op je ijs kunt krijgen. Zelfs het zoetje heeft hij aan boord. **eten** Pasta in iedere vorm, met gehaktsaus, ook in iedere vorm. **aroma's** Kersen, specerijen.

proeven & ruiken Zuid-Afrika. Voorheen bekend om de goedkope slobbertroep. Toen alleen maar duur. Nu toch weer kwaliteit voor weinig. Lekker geconcentreerd glas wijn met veel fruit en frissigheid. **eten** Pasta, vis, salades, tapas. **aroma's** Mango, gele appel, citrus.

Gran Espanoso

Cava Brut

IT PENEDÈS	11,5%		
750 ML	€ 5,59	SMS 1237	

proeven & ruiken Ongecompliceerd bubbels drinken. Het hoeft niet duur te zijn. Er hoeft ook niet altijd het woord 'champagne' op het label te staan. Soms wil je gewoon doordrinken en dan is deze rakker een uitzonderlijk lekkere. Voor heel weinig. **eten** Oesters, crostini met tomaat, olijfolie en basilicum. **aroma's** Bloemen, appel, rozijn.

Gran Espanoso

Cava Demi Sec

IT PENEDÈS	11,5%		
750 ML	€ 5,59	SMS 1238	

proeven & ruiken Ik doe het niet zo heel vaak, demi sec mousserende wijnen drinken. Die hebben net wat meer restsuikers dan een brut. En toch, af en toe is het verdomde verrassend. Vooral bij desserts of bij een voorgerechtje met lever bijvoorbeeld. Drink hem wel koud. **eten** Desserts met schuim en fruitsalades. **aroma's** Bloemen, gele appel, rozijn.

Geitenwollensokkenwijn

'Ga op de biotoer,' hoor je mij vaak roepen. Zoek biologische wijnen en vergelijk ze met hun niet-biologische broertjes en zusjes. Kijk of je verschil proeft. Naast de gunstige milieuaspecten pakken deze wijnen qua smaak vaak verrassend goed uit. In Frankrijk is het meer ingeburgerd dan hier; veel Franse boeren boeren al eeuwen op biologische wijze en de Franse consument vraagt daar ook om. Bij ons leeft geheel onterecht nog steeds het beeld van een alto-wijnboer op geitenwollen sokken gestoken in Birkenstocks, kauwend op lindebloesemtwijgen.

Een paar maanden geleden ontmoette ik tijdens een wijncompetitie de importeur Lovian, die toen was uitgeroepen tot de beste leverancier van biologische wijn. Lovian gaat zelfs een stap verder en combineert het bioprincipe met 'eerlijke handel', fair trade: een goede prijs voor een goed biologisch product, gedurende de gehele productieketen. Fair trade kennen wij van de Max Havelaarproducten zoals de koffie en de bananen die onder meer bij Albert Heijn liggen.

Lovian – ik zie hun wijn ineens overal in de schappen van natuurwinkels – werkt nauw samen met Stellar Organics. Deze supermoderne Zuid-Afrikaanse wijnproducent gaat werkelijk heel ver. Niet alleen werken de landarbeiders onder goede omstandigheden en krijgen ze een verantwoord salaris, maar er is ook kinderopvang, ze wonen kosteloos en ze worden dagelijks van huis naar het werk gebracht.

Fair trade, bio, Max Havelaar of niet, het gaat uiteindelijk wel om de smaak. Een jaar geleden proefde ik een aantal van deze wijnen en vond ze toen niet de moeite waard. Dit jaar kreeg ik een fles Stellar Organics Shiraz Rosé in handen, met etiket dat zich schuldig maakt aan een hoog bling-blinggehalte en dat een flink alcoholpercentage (14 procent) vermeldt. Ik begon te proeven. De wijn was wrang, had veel hout en deed erg jong aan. Ik zette de fles apart en liet hem een nacht open staan. De volgende dag proefde ik voor de zekerheid nog eenmaal en werd waanzinnig verrast. Hij had zich ontwikkeld tot een heel vriendelijke merlotwijn, het overdreven hout had plaatsgemaakt voor soepel fruit en een licht zoetje. Bio en fair trade bleken na een nacht in de openlucht ook nog eens *fair taste* te zijn.

Delcellier
Cabernet Sauvignon 2006

FR LANGUEDOC	13,5%	
750 ML	€ 7,99	SMS 1012	

proeven & ruiken De warmte van het zuiden van Frankrijk kringelt je tegemoet als je je neus flink diep het glas in steekt. Cabernet sauvignon als geen ander. Met frisheid, blauwe bessen die openknappen als je een fikse slok neemt. Loepzuiver. **eten** Bruschetta's met tomaat en basilicum. Of een elegant stukje rood vlees uit ons vertrouwde grillpannetje. **aroma's** Blauwe bessen, geroosterd brood, bossig.

Château Auguste
Bordeaux 2006

FR BORDEAUX	12,5%	
750 ML	€ 7,25	SMS 1013	

proeven & ruiken Steven Meijer, Nederlandse wijnmaker in Frankrijk, heeft hier een puik stukje bordeaux neergezet. De merlotdruifjes galopperen met groot gemak je mond en neus in. Zwoele rode besjes, met een subtiel gronderig bospaadje. Écht bordeaux. **eten** Alledaagse maaltijden met rundvlees, stoofschotels of een heerlijke harde kaas. **aroma's** Blauwe bessen, tomaat, bossig.

Château Lionel Faivre
Corbières 2004

FR CORBIÈRES	14%		
750 ML	€ 9,75	SMS 1015	C C C

Louis-Marie
Cabernet Franc 2006

FR PAYS D'OC	13,5%		
750 ML	€ 9,75	SMS 1016	C

proeven & ruiken Een loeihete zomer, je achtertuin vol met lavendel, laurier, bloemen bramen, bessen en kruiden. Na een subtiel regenbuitje de schep in de aarde zetten en dan je neus erin. Meer zeg ik niet. Verdraaid zuiver. De absolute biotop onder de € 10! Meneer de natuurwinkel, gaarne doorkomen met die flesjes, uhh, doe maar een doosje. Tip: Even overgieten in een karaf om hem wat extra lucht te geven. **eten** Hier mag iets moois naast. Een opvliegerig eendje, wat wild of een knapperig geroosterd lam. **aroma's** Specerijen, rood fruit, laurier.

proeven & ruiken Hier proef je de bio in je glas. Mooi fris en zuiver. Sap van voor je neus uitgeperste cabernet-francdruiven die een flinke slok bessigheid en een snuif kruidigheid teweegbrengen. **eten** Wild, kaas of mooie stoofgerechten. **aroma's** Drop, zwarte bessen, specerijen.

Sinergia
Monastrell 2006

ES VALENCIA	14%		🌸 ❌ ◉
750 ML	€ 6,99	SMS 1023	

Dominio de Castillo
Tempranillo 2007

ES LA MANCHA	13,5%		🌸 ❌ ◉
750 ML	€ 6,34	SMS 1024	↻

proeven & ruiken Potje open, vinger in de mond, vinger in het potje, en dan proeven. Hmm, droppoeder? Ja, droppoeder, salmiak. Dat is het eerste wat de neus zegt. In de mond gaat hij verder, met weer die bramen en op gepaste wijze een scheutje hout. Die Spanjolen, die houden wel van een stevige wijn. **eten** Tapas, zegt het etiket, hoe breed kun je gaan? Die barbecue, die ligt dan iets meer in de lijn der verwachting. Grillen: tomaten, vlees, courgettes, u zegt het maar. **aroma's** Salmiak, bramen, hout.

proeven & ruiken Dominio de Castillo: ze maken er wijnen van wisselende kwaliteit. Maar deze tempranillo, jong en onbezonnen, doet het lekker bij ons aan tafel. Gooi hem een minuutje of vijftien in de koelkast en je gaat smullen. Smullen met een staartje, daar zit hem namelijk de kneep. Hij heeft lengte. Een langeafstandsloper, zeggen ze in de wijnwereld. **eten** In Zuid-Afrika hebben ze de 'braai'. In Spanje? Ik weet het niet, maar hij zou het prachtig bij een Spaanse braai doen. **aroma's** Kers, braam, hout.

NATUURVOEDINGSWINKELS

Palin

Chardonnay 2007

Bodegas Y Viñedos Quaderna Via S.L.

Initium 2006

CL VALLE DE CASABLANCA	14%		
750 ML	€ 7,99	SMS 1041	

ES NAVARRA	13%		
750 ML	€ 5,95	SMS 1044	

proeven & ruiken Mango, citrus en vuursteen, zo'n afgestreken lucifer, zou je kunnen zeggen. In de mond doet hij hetzelfde: veel fruit en weer dat vuursteentje en dan ontwikkelt hij snel. Bittertjes die absoluut het gevecht met je gerecht aan moeten gaan. Hup, de keuken in! **eten** Salades met citrusfruit of kaas. Kalfsvlees met een mooie saus met saffraan. **aroma's** Citrus, vuursteen, mango.

proeven & ruiken Navarra, het kleine zusje dat zo ontzettend veel last heeft van haar dominante broertje, de rioja. Maar daarom komen er absoluut geen slechte wijnen vandaan. Het is gewoon even wennen. Veel drinken dus, die Navarrezen. Gedroogde pruimen, wat kersjes en flinke scheut hout. **eten** Steak tartare, een mooi ossenhaasje, maar hij gaat ook zeker een gegrild stukje buikspek niet uit de weg. **aroma's** Kers, pruim, hout.

Zambulu Wines
Merlot / Cabernet Sauvignon 2007

ZA WESTKAAP	12,5%		🌺 ❀ ◉
750 ML	€ 5,86	SMS 1072	

proeven & ruiken Jong, sappig, met veel bramen en wat zwarte bessen. De eerste aanzet in de mond kan wat bijtend zijn. Geef de wijn gerust wat lucht: goed walsen in het glas, even in de karaf en je hebt een volle, frisse merlot/cabernet sauvignon. **eten** Pasta, bospaddenstoelen-roomsaus. **aroma's** Peper, zwarte bessen, bramen.

Palin
Merlot 2007

CL VALLE DE RAPEL	14,5%		🌺 ❀ ◉
750 ML	€ 7,99	SMS 1077	©

proeven & ruiken Hout in de eerste neus, dat moet concurreren met het zachte rode fruit. In de mond aangenaam en fluwelig met een lichte cacao-afdronk. **eten** Varkenshaasje met een stevige jus met paddenstoeltjes, of zelfs een beetje cacao er doorheen gedraaid. **aroma's** Gedroogd fruit, hout, cacao.

Krakende wijnmarketing

Zachtjes hoor je hem kraken als hij zich voorover buigt om met zijn knoestige handen voorzichtig de mooiste druiventros af te knippen. Deze oude wijnboer, compleet met alpinopet en blauwe overall, zorgt – net als zijn voorvaders – dat zijn wijn de mooiste van de streek is. Nadat zijn vrouw de etiketten met de hand beschreven heeft, verkoopt hij ze iedere week op het plaatselijke marktplein. Elke fles wordt tijdens de verkoop uitgebreid omkleed met een eigen verhaal om uiteindelijk als karaktervolle partner een mooie maaltijd te kunnen begeleiden.

Helaas blijken dit soort unieke gevallen zo goed als uitgestorven. Romantische wijnbouw behoort goeddeels tot een ver verleden. Het gaat om keiharde cijfers. Strakke marketingplannen en gladde verkopers die containers vol moeten slijten aan supermarkten en slijterijen, teneinde een wijncrisis zoals die nu in Frankrijk heerst te voorkomen.

Ik ondervond onlangs weer de pijnlijke gevolgen van deze steeds verder gaande verharding. Uitgenodigd op een groot Italiaans wijndomein in Piëmonte kreeg ik een fantastische presentatie. Een dame met een goed uitgekiend marketingverhaal wist alles te vertellen over 'haar mooie wijnen'. Totdat ik aan tafel ging en de ene na de andere wijn faliekant door de mand viel. Haar verhaal was vele malen beter dan de wijn; geen enkele fles doorstond de toets der kritiek. Dun van smaak en zonder karakter gemaakt, een belediging voor de échte wijnboer. Dat de juiste marketing ook tot goede wijnen kan leiden, proefde ik diezelfde week. Onze eigen Nederlandse wijnboer in Frankrijk Ilja Gort weet als geen ander zijn wijnen te vermarkten. Eenieder die het weten wil vertelt hij hoe briljant zijn La Tulipe-wijnen zijn. De meningen hierover zijn niet onverdeeld. Ik kreeg zijn niet in Nederland verkrijgbare en daardoor voor ons onbekende Château de La Garde in handen. Deze rode bordeaux supérieur bleek een onverwachte sensatie. Een lekkere, rijpe, geconcentreerde wijn, met fluweelzacht rood wild fruit en de nodige sappigheid. Naar het schijnt is de 2003 binnenkort ook in Nederland verkrijgbaar.

Die alpinopet heeft Ilja al; nu nog knoestige handen en een beetje kraken tijdens het lopen en dan mag hij bij ons op het marktplein z'n wijnen verkopen.

Domaine Preignes le Vieux

Chardonnay du Petit Bois 2007

FR PAYS D'OC	13%				
750 ML	€ 6,29	SMS 1008			

proeven & ruiken Banaan, roept mijn neus. Banaan? Ja, met meloen. Een fruit-salade, zeg maar. Lekker! Delicaat, verfrissend en dorstlessend. Gewoon voor zomaar, net zoals die salade soms zo goddelijk welkom kan zijn. **eten** Alle witvisjes, met een mooie lik mayo. Of een stukje rood vlees met lekker verse bearnaisesaus. **aroma's** Banaan, citroen, meloen.

Michel Schneider

Dornfelder 2006

DE PFALZ	13%				
750 ML	€ 5,49	SMS 1011			

proeven & ruiken Appeltaart, overgoten met een flinke soeplepel warme amarenen, Ita-liaanse kersen, met kaneel, amandeltjes en vanille. Dat knalt je rechtstreeks de neus in. Oftewel: rood met een mooie lik hout. De mond zegt: fris, lekkere zuren, niet te veel tannines. Wel een klein beetje munt en veel rode besjes. Aangenaam, maar misschien iets te weinig lengte. **eten** Ja hoor, daar is de pizza weer. En een mooie pasta met toma-tensaus gaat ook niet blozen. **aroma's** Kers, kaneel, amandel.

Fazi Battaglia

Rutilus 2005

IT MARKEN	12%		
750 ML	€ 7,99	SMS 1020	

proeven & ruiken Sangiovesedruiven uit het midden van dit populaire vakantieland. Die zorgen dan ook meteen voor een superaantrekkelijke wijn. Makkelijk te verteren, heerlijk te combineren en als slagroom op de taart een lekker laag alcoholpercentage voor dat gebied. Snel drinken, licht gekoeld, en niet te lang laten liggen. **eten** Lichte pastagerechten, een klein stoofschoteltje. Of, ach, gewoon op het terras. **aroma's** Aards, tomaat, hout.

Raimat

Abadia 2004

ES CATALUNYA	13%		
750 ML	€ 8,28	SMS 1021	

proeven & ruiken 'Verrassend', werd er aan tafel geroepen. En verrassend dat is deze mengeling van cabernet sauvignon, merlot en tempranillo zeker. Stevig in de aanzet, daarna zacht naar gedroogd fruit aflopend. Romig en vol; laat dat nou net door die zes maandjes houtlagering komen. En da's dan weer niet zo verrassend. **eten** Stoofpot met sukadelapjes, gedroogde pruimen, oosterse kruiden. **aroma's** Gedroogd fruit, pruimen, hout.

MITRA

Cono Sur

Merlot Rosé 2007

CL COLCHAGUA VALLEY	13%			
750 ML	€ 5,49	SMS 1032		

Trivento

Brisa de Otoño 2007

AR MENDOZA	13,5%			
500 ML	€ 7,99	SMS 1052		

proeven & ruiken Zijn wij fan van Cono Sur? Of weet Cono Sur gewoon de juiste wijn voor de Nederlandse consument te maken? We zijn er nog niet uit, daarom genieten we gewoon van hun wijntjes. Ook hier niet pretentieloos wegtikken, maar aandachtig. Veel fruit van de kersenboom, wat bramen en frambozen en een lichte prikkel en een subtiel zoetje aan het einde. **eten** Salade met kaas, hoewel vaak verboden in combinatie met wijn, een lekkere artisjok met een mooie vinaigrette. **aroma's** Kers, framboos, aardbei.

proeven & ruiken 'Late Harvest', meldt het etiketje op dit miniflesje. Dat wil letterlijk zeggen dat de druiven pas geplukt zijn nadat de ze aan de plant een beetje verschrompeld raken. Wat overblijft is veel suiker, en dat hebben we nodig voor deze zoete dessertwijn. Mooie abrikoosjes, vanille en een lichte citroenschil. In de afdronk een prettig bittertje. **eten** Zelfgemaakte griesmeelpudding, appel-, peren- of abrikozentaart met zo'n dun deegbodempje. Heerlijk! **aroma's** Abrikoos, citrus, vanille.

Quinta de Azevedo
Vinho Verde 2007

Trivento
Chardonnay Reserve 2007

PT DOURO	11%			
750 ML	€ 7,49	SMS 1054		

AR MENDOZA	14%			
750 ML	€ 6,49	SMS 1063		

proeven & ruiken Gekkigheid. Groenig, fris en jong. Vinho Verde uit Portugal blijft een opmerkelijk goedje. Slechts zelden kom je een toppertje tegen zoals deze van Quinta de Azevedo. Bloemig in de neus en verfrissend, met groene appel, citrus en wat nootmuskaat in de mond. Met een lekkere prikkel voor op de tong. Terrasje, zonnetje, fijn gezelschap. Dat zouden we vaker moeten doen. **eten** Niets, gewoon *the real thing*. Of toch? Maar dan een lichte salade. **aroma's** Groene appel, citrus, nootmuskaat.

proeven & ruiken Banaan, mango en citrus die over elkaar heen rollebollen door het glas, doorgeroerd met een flinke houtstaaf, geroosterd, maar natuurlijk, we praten over Argentinië. De mineralen achter op de tong maken hem lekker verteerbaar, goed doordrinkbaar en zeer welkom in ons glas. **eten** Coquilles of, lekker decadent, kreeft. Gerookte-kipsalade met een lekker spekblokje erin. **aroma's** Banaan, mango, hout.

Douglas Green
Reserve Selection Chardonnay 2007

ZA WESTKAAP	14%			
750 ML	€ 9,49	SMS 1064		

proeven & ruiken Waarom de bananen krom zijn? Nou, dat weten ze bij Douglas Green wel. Anders vallen ze om. Maar da's bij dit glas niet het geval: omvallen, ho maar. Wel veel banaan in de neus. Licht in de mond, met een lekkere filmendheid langs de tanden. **eten** Sliptongetjes, citrus-beurre blanc, of als dat te veel gedoe is gewoon een scholletje, krieltje erbij, en een lekkere klont gezouten boter erop. **aroma's** Banaan, mango, hout.

Cono Sur
Chardonnay 2007

CL VALLE CENTRAL	13,5%			
750 ML	€ 5,49	SMS 1065		

proeven & ruiken Licht fris in de neus, lekkere citroentjes. Mooie mineraliteit in de mond met wat kalkigheid. Superklein bittertje achterin. Ach, wat kunnen wij hier toch lekker van doordrinken. Belangrijk punt: de boys van Cono Sur produceren niet alleen zo bio mogelijk, maar houden zich ook zeer nadrukkelijk met vermindering van de CO_2-uitstoot bezig. Toch fijn, kunnen onze kinderen er ook nog van genieten. **eten** Warme geitenkaassalade met honingdressing. Nogal plat, maar toch wel lekker op z'n tijd. **aroma's** Citrus, specerijen, honing.

Douglas Green
Pinotage Rosé 2007

ZA WESTKAAP	13%				
750 ML	€ 4,99	SMS 1066			

proeven & ruiken 'Aardbeien', roepen wij aan tafel. Gaat dit dan een snoeproseetje worden? Nee dus. Lekker ongecompliceerd, dat wel. Daar gaan we weer: goed gekoeld, terrasje, fijn gezelschap en doordrinken.
eten Bitterballetje, stukje belegen kaas. Dat soort gedoe. Terraswerk, zeg maar.
aroma's Aardbei, kers.

Cent'are
Rosato 2006

IT SICILIË	12,5%				
750 ML	€ 5,99	SMS 1068			

proeven & ruiken Aardbei, kruidig, beetje tabakkig zelfs. Zou dat door het jaartal komen? Het liefst zo jong mogelijk drinken, maar toch, ach, het heeft wel wat, dat kleine beetje belegen neus. Volgend jaar zien we toch wel graag de 2008 in de winkel, meneer Mitra...
eten Lichte salade, frambozen-balsamico, wat zongedroogde tomaten en walnoot.
aroma's Aardbei, tabak.

Duque de Viseu Dão

Vinho Tinto 2004

PT DÃO	13,5%			
750 ML	€ 8,49	SMS 1070		

proeven & ruiken Floraal, dan hebben we het over bloemen, echte bloemen. Aalbesjes, beetje kers, afgetopt met een wild aardbeitje. In de mond hetzelfde fruit, maar dan met wat hout en peper – van die zwarte, versgemalen – en een lichte tannine. **eten** Gestoofde lamsbout, wat amandelen, gedroogde pruim de stoofpot in, tijm, rozemarijn. En lekker achterover leunen. **aroma's** Bloemen, kers, peper.

Cono Sur

Pinot Noir 2007

CL COLCHAGUA VALLEY	13%			
750 ML	€ 6,49	SMS 1087		

proeven & ruiken Dit is de stijl waar we naartoe willen. Fruit, licht, fris en toegankelijk. De tijd dat we onze bek braken over de zure pinot noirs uit de grote boze wijnwereld is gelukkig voor een groot deel voorbij. Fijne kersjes en een lichte kruidigheid. Let vooral ook eens op die kleur. Korte koeling vooraf is aan te raden. **eten** Lichte kazen, tomatensauzen, niet te zwaar rood vlees. Ach, donder er eigenlijk ook maar gewoon eens een zelfgebouwde pizza naast. **aroma's** Kersen, specerijen, witte peper.

Sella & Mosca
Vermentino di Sardegna 2006

Callia Alta Reserva Chardonnay
Viognier - Pinot Gris 2007

IT SARDINIË	12%			SK		AR SAN JUAN	12,5%			SP
750 ML	€ 6,99	SMS 1186				750 ML	€ 6,99	SMS 1249		

proeven & ruiken Op Sardinië noemen ze hem vermentino en in de Franse Provence heet het rolle. En toch is het dezelfde druif. Lekker fris en ongecompliceerd. Voor mij een soort mix tussen sauvignon blanc en chardonnay. Let op het prikkeltje voorop de tong. Koud drinken. Echt koud dus. **eten** Witvis, antipasti, pasta met witte sauzen en een stuk gegrilde zeebaars. **aroma's** Witte peper, groene appel, citroenschil.

proeven & ruiken Droog, warm en veel zand. Zo zou je de zuidelijke provincie San Juan het beste kunnen typeren. Dat daar zulke knisperverse frisse wijnen gemaakt kunnen worden, is een raadsel. Wat geen raadsel is, is dat hij een heerlijk fruitig bouquet heeft dat hij zonder tegensputteren tentoonspreidt. Licht, bijna vluchtig in de neus, maar in de mond mooi vullend en lekker smakkende fruitinvloeden. **eten** Lichte visgerechten, fruitige salades. **aroma's** Groene appel, citroenschil, mineraal.

Callia

Bella Shiraz 2007

AR SAN JUAN	14%		
750 ML	€ 5,99	SMS 1250	

proeven & ruiken Een vondstje wederom. Callia maakt lekkere ongecompliceerde wijnen, die precies op de grens van *Cuno 2009* liggen. Qua prijs dan. Want qua inhoud valt hij met z'n neus in de boter. Een heerlijk frisse, goed doordrinkende shirazwijn. Na alle bekkentrekkerij, het springende tandglazuur en de nodige maag- en darmstoornissen die ik hier nog wel eens oploop tijdens de proefsessies, was dit een verademing. Een opfrissertje van shiraz. Wie had dat kunnen denken. **eten** Carpaccio, lichte vleesgerechten of een mooi visje van de gril. **aroma's** Kers, rode bes, specerijen.

Feest of geen feest: champagne!

Zaterdagmiddag vier uur, Mareuil-sur-Aÿ, een klein dorpje midden in de Champagnestreek, net even ten oosten van Epernay. Het is bloedheet, heel Frankrijk is op vakantie en ik sta in een grote, desolate hal te wachten.

Ik ben uitgenodigd door Charles Philipponnat, president van het gelijknamige champagnehuis. Het chateau is uitgestorven, 'monsieur le President' bewaakt in zijn eentje het fort. Vanaf een hoge brede trap komt Charles aangelopen, een kleine gedrongen man met een vrolijke uitstraling die me hard lachend de hand wil schudden.

Op datzelfde moment klinkt een bel door de grote hal. Een jong stel staat voor de deur, smekend of ze naar binnen mogen om champagne te proeven. Charles lijkt onverbiddelijk, het is tenslotte vakantietijd en hij heeft de pers op bezoek. Totdat het meisje vertelt dat haar moeder – inmiddels overleden – verzot was op zijn wijnen. Het stel gaat over twee maanden trouwen en is speciaal uit Lyon komen rijden om de door haar moeder zo geliefde champagne te proeven. Charles smelt en binnen enkele seconden staan we met zijn allen en een heel bataljon champagnes aan een lange tafel.

Champagne maken is moeilijk. Eerst wordt een basiswijn vervaardigd, die door de hoge zuurgraad bijna ondrinkbaar is; deze wordt samen met een klein schepje extra gist en suiker gebotteld. Hierdoor ontstaat een gisting in de fles en zullen de bubbels – mousse in champagnetaal – geboren worden. Na minimaal vijftien maanden rijpen worden de flessen met de hals naar beneden in rekken geplaatst en langzaam gedraaid, waardoor de nu dode gistcellen naar de flessenhals zakken en zich daar ophopen. Dan gaat het snel: de flessenhals wordt bevroren, de fles geopend en daar springt door de hoge druk het bevroren gistpropje de fles uit. Men voegt voor de smaak en om de zuren te compenseren een mengsel van suiker en wijn toe, waarna de fles wordt gekurkt. Klaar om te drinken.

De Fransman vindt altijd wel een gelegenheid om een fles champagne, de beroemdste mousserende wijn ter wereld te ontkurken. Nu wij nog.

Osborne

Rosafino

ES ANDALUCÍA	13,5%		
750 ML	€ 4,99	SMS 1031	

proeven & ruiken Pittig, peper, rood aangenaam fruit. Prikkelend, aantrekkelijk. Met een Spaanse tint, verleidelijk, zeg maar. Maar absoluut geen *easygoing rosé* voor op een pretentieloos stranddagje. Eten, dat is het devies! En anders achterover gieten, je flamencojurk aantrekken en een Spaanse hunk zoeken (voor de heren geldt uiteraard het omgekeerde). **eten** Paella, gamba's, octopus, alles als het maar uit de zee komt en op de barbecue gemieterd kan worden. **aroma's** Peper, kers, rode bes.

Chateau de L'Horte

Corbières Reserve Speciale 2004

FR CORBIÈRES	14%			
750 ML	€ 7,49	SMS 1069		C C C

proeven & ruiken Lavendel, bloemen, peper, velpon (!?), beetje tijm en een subtiel takje rozemarijn. Aards, kruidig, fris en veel fruit in de mond. Drie Cuno's en met recht: dit soort mooie Corbières komen we voor deze prijs maar zelden tegen bij de supermarkten. Serveer hem licht gekoeld; het zwoele karakter gaat niet verloren, maar het fruit en de specerijen komen er verrassend genoeg wel beter uit. **eten** Gerookte ossenhaas met truffelmayonaise. Jaag moeders maar de keuken in voor een copieus diner. Of ga er anders zelf in staan. Eenvoudiger kan ook: entrecootje van de bbq. Snel, eenvoudig, maar zo likkebaardend lekker. **aroma's** Specerijen, kersen, zwarte bessen.

El Descanso

Shiraz Reserva 2007

CL COLCHAGUA VALLEY	14,5%		
750 ML	€ 5,49	SMS 1074	

proeven & ruiken Zacht gedroogde pruimen, hintje van wat frisser rood fruit, maar wel allemaal fluweelzacht. Veel sap in de mond. 1 C'tje meer dan waard. **eten** Rodekool met bloedworst op grootmoeders wijze bereid. Met een gebakken appeltje erop. **aroma's** Gedroogde pruimen, rode bessen, hout.

Pompen of spuiten?

Het gebeurt mij zelden, een fles wijn die niet volledig opgaat. Maar wat doet de niet zo heel snelle drinker met zijn halfvolle fles? Waarschijnlijk blijft de fles met of zonder de kurk er weer op een tijd staan en is het maar hopen dat hij dat overleeft – wat meestal niet het geval is. Een wijn die lang open staat gaat oxideren. Zuurstof breekt de wijn in rap tempo af. Binnen afzienbare tijd zal de wijn vlak en muf gaan smaken, zuur worden en uiteindelijk eindigen als azijn.

Er werden weinig oplossingen geboden voor dit probleem, totdat enige jaren geleden de firma Vacu Vin met het briljante idee kwam een open wijnfles vacuüm te trekken met de Wine Saver. Je plaatst een rubberen kurk op de fles, een pompje op de kurk en pompen maar. Een slimme manier om de wijn zo min mogelijk in contact met zuurstof te laten komen. Probleem leek echter wel dat met het wegzuigen van de zuurstof ook een deel van de aroma's werden meegenomen.

Onlangs kreeg ik een grote paarse spuitbus in handen gedrukt. Hij voelde volledig leeg aan, wat er voor de duidelijkheid ook maar met grote letters op was gezet: '*Full can feels empty*'. Het bleek te gaan om de Wine Preserver, een mengsel van N_2, CO_2 en Ar. Vrij vertaald: stikstof, kooldioxide en argon. De Amerikaanse fabrikant Private Preserve meldt daarover groots op de fles dat het hier een geheel onschadelijk mengsel betreft.

Je spuit dit goedje in je geopende fles en duwt de kurk terug (liever niet met de bovenkant naar beneden, want daar kunnen nog wel eens onzichtbare schimmels op zitten, waardoor je wijn alsnog het hoekje om gaat). Het gas is zwaarder dan zuurstof en zal als een deken over de wijn gaan liggen, zodat oxidatie tot een minimum beperkt blijft. Ze claimen dat wijn zo dagen, weken en zelfs maanden goed kan blijven. Zó lang hield ik het niet vol. Mijn wijn lag anderhalve week onder z'n dekentje. Fris als een hoentje kwam hij er weer onderuit, zonder één teken van vermoeidheid.

Geen gas of vacuümpomp in huis? Eén of twee dagen bewaren kan prima in de koelkast met de kurk op de fles.

Les Baudrières

Sancerre 2007

FR LOIRE	12,5%		
750 ML	€ 9,99	SMS 1061	

proeven & ruiken Bloemig, gronderig en klein beetje buxus in de neus. Mond zegt toch echt wat anders, veel meer citrus, mineraliteit, tikje tintel op de tong. Loire, op en top. **eten** Schaal- en schelpdieren, erg voor de hand liggend, maar wel lekker. Likje citroenmayo erbij, voilà. **aroma's** Bloemen, buxus, citrus.

Misiones de Rengo

Chardonnay Reserva 2006

CL RAPEL VALLEY	14%		
750 ML	€ 6,99	SMS 1062	

proeven & ruiken Boterig in de neus, zacht gelig fruit met veel abrikoos, perzik en banaan. Klein roostertje van het hout. Smakelijke doordrinker door z'n mineraliteit, maar wel bij eten, zou het devies hier luiden. En jong! 2006 eigenlijk niet meer na 2009 drinken... **eten** Witte vissen zoals gegrilde zeebaars, met mooie botersauzen. Coquilles, saffraansausje? **aroma's** Perzik, banaan, hout.

Misiones de Rengo

Carmenère Reserva 2006

CL RAPEL VALLEY	14%		🔆 ◉
750 ML	€ 6,99	SMS 1073	◷

proeven & ruiken Heerlijke besjes, rood veelal, wat kersigheid, tikje aardbei en hout, dat vriendelijk maar wel aan de oppervlakte is. Het alcoholpercentage valt niet op en geeft het fruit in de mond voldoende speelruimte.
eten Entrecote, fluweelzachte portsaus.
aroma's Kers, aardbei, hout.

Robinsons East Coast

Sauvignon Blanc 2007

NZ EAST COAST	12,5%		↻ ◍
750 ML	€ 6,99	SMS 1106	

proeven & ruiken Als je goed ruikt, zou het zo een plasje van Vrijdag, Robinson Crusoe's hulpje, kunnen zijn. Buxus noemen wij dat in vaktermen. En achter de schermen noemen we het kattenpis. Dat ruik je in deze Robinsons Sauvignon Blanc. En dat plasjes aangenaam kunnen ruiken, dat laat hij goed zien. Veel frisheid. **eten** Rijke salades, met veel citrusfruit. **aroma's** Buxus, citrus, specerijen.

Manzanilla olé

'Ik rij zo even langs en drop een doosje manzanilla achter de deur, leuk om de avond mee af te trappen.' Met die boodschap belt vriend en wijnliefhebber Jeroen mij op. Vijf minuten later draait een familieauto, formaatje 'twee kids, maxi-cosi, labrador, zij een druk bestaan, hij nog minder tijd' de straat in. De achterklep gaat open en daar liggen zes flessen sherry van La Goya. 'Wij gaan vanavond echt geen sherry drinken, en al helemaal geen zes flessen,' zeg ik, in de hoop dat het niet weer op een exces afstevent. '*Keep them cool*,' roept hij me na en rijdt weer net zo snel weg als hij gekomen is.

Sherry werd het die avond dus.

Eerst manzanilla, later op de avond oloroso en weer later pedro ximenez. Lang vervlogen namen voor bijzondere Spaanse wijnen, beter bekend als cream of dry sherry; ze zijn weer helemaal terug. Voor mij geldt de manzanilla als de meest interessante. Manzanilla is een uiterst droge, nootachtige en zilte variant in het brede scala aan sherrysoorten. Zoals alle sherry's wordt deze gemaakt van de palominodruif, wat uitsluitend gebeurt in Sanlúcar de Barrameda, een stadje aan de Atlantische Oceaan. Begin september worden de druiven geplukt en geperst en vervolgens liggen ze minimaal drie jaar onaangeroerd in het vat. Tijdens die periode begint er door het gedoseerd toelaten van zuurstof in de vaten een laagje gistcellen boven op de wijn te groeien. Deze laag heet flor, wat letterlijk bloem betekent, en zorgt ervoor dat de onderliggende sherry rustig kan rijpen zonder dat er te veel zuurstof bij komt die de wijn negatief beïnvloedt.

Manzanilla is een typische wijn om bij schelp- en schaaldieren te drinken; de bekendste combinatie is die met zoute haring of oester. De ziltheid van de ijskoude manzanilla zorgt ervoor dat de haring bijna zoet en nóg vetter wordt. Skip de uitjes en het zuur, ga voor het pure en je ontdekt hemelse smaken.

Gelukkig liet Jeroen later die avond zijn familieauto staan; sherry beïnvloedt onder andere het rijgedrag.

Urban Uco
Torrontés 2007

Lois
Grüner Veltliner 2007

AR SALTA	13%			AT KAMPTAL	12%		
750 ML	€ 7,25	SMS 1099		750 ML	€ 9,95	SMS 1102	

proeven & ruiken 'Hyacinten en Earl Grey-thee', roept mijn neus. Dit is maf! Mijn mond roept even later hetzelfde. Dit is zelfs lekker maf. Torrontés, een onbekend druifje dat oorspronkelijk in Spanje geboren is, maar het ook perfect in Argentinië doet. Althans, als ik mijn neus en mond moet geloven. **eten** Kruidige gerechten. Vis met roomsaus, groene peper, saffraan. Kipgerechten, wit vlees. **aroma's** Floraal, muskaat, bergamot.

proeven & ruiken Grüner Veltliner, Oostenrijk ten top, met een vage hint van de sauvignonblancdruif en dan ook nog een klein vetje aan de rand. Ik zeg: een kermis. Maar absoluut geen koude kermis. Mooi wit fruit, veel floraliteit en lekkere knisperigheid op de tong. Een echte zaterdagavondwijn, hoewel hij voor door de week ook geen straf is. **eten** Een beetje vettigheid in het gerecht mag deze wijn wel hebben. Vis, al dan niet gerookt, met een mooie botersaus. Wit vlees of gevogelte zal hem ook geen parten spelen. **aroma's** Mineralen, banaan, citrus.

Enate
Cabernet Sauvignon - Merlot 2005

IT SOMONTANO	13,5%			
750 ML	€ 7,95	SMS 1138		

proeven & ruiken Bordeauxblends maken, dat kunnen ze in Italië goed. Soms zelfs iets beter. En dan voornamelijk prijstechnisch. Mooie frisse cabernet sauvignon met een scheut merlot voor wat afronding en een kleine zoetimpressie. Een vrolijkmakertje. Vooral als je hem niet te warm serveert, komen de cassis, de bramen en de zes maanden hout als kleine snoepjes bovendrijven. **eten** Gegrilde vis met een mooie volle saus. Pasta met gehaktsaus. Licht gevogelte, zoals een kippetje. **aroma's** Cassis, bramen, hout.

Domaine du Tabatau
Camprigou 2005

FR LANGUEDOC	13%			
750 ML	€ 8,25	SMS 1145		

proeven & ruiken De Languedoc, je proeft hem bijna in de wijn. Heel kruidig en best een stevig wijntje; dat komt vooral door de syrah- en de grenachedruiven die erin zitten. Daarnaast ook nog een slokje mourvèdre en je hebt een heerlijk glas. Kersen, wilde blauwe bosbessen en veel, heel veel kruiden. **eten** Kaas, blauwe of harde bij voorkeur. Gegrild rood vlees of een lekker, biologisch opgevoed varkentje. **aroma's** Bosbessen, laurier, lavendel.

Caldora

Sangiovese Terre di Chieti 2007

IT ABRUZZO	13%			
750 ML	€ 5,95	SMS 1159		

proeven & ruiken De neus van deze sangiovese is nog niet eens zo overtuigend en toch komt hij in mijn favorietenlijst. En dat komt met name doordat de mond zo overtuigend is. Fris, veel fruit, lekker sappig met een licht kruidig karakter. **eten** Daar gaan we weer. Sangiovese doet het immer goed bij rood vlees, rode pastasauzen en een pittig kippetje. **aroma's** Specerijen, rode bessen.

Loosen

Riesling 2007

DE MOSEL	11,5%			
750 ML	€ 9,25	SMS 1192		

proeven & ruiken Als ik het voor het zeggen zou hebben, gaan we *en masse* aan de riesling. Een van mijn favoriete druiven. Stijlvol, fris, kruidig, mineralig, smaakvol. Én laag op alcohol. Ook handig als we 's avonds nog in actie moeten komen. De gebroeders Loosen uit de Duitse Moezelstreek voldoen aan al deze kwalificaties. Aangevuld met karakter. Een wijn die staat en zich nooit omver laat blazen. **eten** Altijd en overal, zolang er maar een klein kruidje doorheen zit. Saffraan vind ik altijd een mooie combi. Maar denk ook aan vis met romige sauzen, of juist wat hetere saus. Oosters! **aroma's** Lychee, citrus, mineralen.

Domaine La Tanerèze

Colomblanc 2007

FR GASCOGNE	12%		
750 ML	€ 5,25	SMS 1193	

proeven & ruiken Dit noem ik nou de ideale huiswijn. Hij is fris, heeft veel wit fruit, niet al te uitgesproken zuren en is zeer goed betaalbaar. Daarnaast combineert hij met veel gerechten en is hij als aperitief absoluut niet te versmaden. Daar zou je een doosje of twee van in je kelder moeten hebben. **eten** Allemansvriend. Zo, als aperitief, of gecombineerd met een weids spectrum aan gerechten. Zelfs kaas is een grote vriend van hem. **aroma's** Witte peper, groene appel, carambole.

Cruz de Piedra

Garnacha 2007

ES CALATAYUD	13,5%		
750 ML	€ 6,10	SMS 1194	

proeven & ruiken Ruik die neus, proef die smaakjes. Dit is geen fladderrosé. Dit is het betere werk. Aardbeien, kruidigheid en vooral veel sap. **eten** Stukje grillvlees. Mooi visje. Zo uit het vuistje, noem maar op. **aroma's** Aardbeien, specerijen, kersen.

Les Jamelles

Sauvignon Blanc 2007

FR PAYS D'OC	12,5%			SP ⊕
750 ML	€ 7,25	SMS 1201		C

proeven & ruiken Rondom de Middellandse Zee, daar weten ze wel hoe je verkoelende en verfrissende wijn moet maken. Per slot van rekening is dat hun enige manier om zichzelf staande te houden: veel koude wijn. De Les Jamelles toont zich dan ook als een heel verfrissende wijn met een warm karakter. Beetje citrus, beetje kiwi. En nu eens niet het geijkte buxus. **eten** Asperges, gegrilde groenten, vis. **aroma's** Citrus, kiwi, mango.

Domaine de Montine

Gourmandises 2007

Domaine Félines Jourdan

Picpoul de Pinet 2007

FR RHÔNE	13%				FR LANGUEDOC	13%			
750 ML	€ 7,95	SMS 1202			750 ML	€ 8,50	SMS 1204		

proeven & ruiken De wijnmaker heeft hier een hele bak met verschillende druivensoorten boven zijn cuves geleegd. Allemaal typerend voor de zuidelijke Provence. Waarbij toch wel de viognier erboven uitspringt. En dat heeft hem geen windeieren gelegd. Heerlijke wijn, mooi kruidig, complex en sappig. **eten** Vissoep. Bouillabaise of zo, of een lichtere variant. Visbouillon, of gewoon het hele visje. **aroma's** Specerijen, mango, sinaasappel.

proeven & ruiken Picpoul, echt zo'n druif uit het zuiden van Frankrijk. De Languedoc in dit geval. Niet te veel zuren, wel lekkere aroma's van zuidvruchten, appels en wat specerijen. Is het gek als ik zeg dat ik de binnenband van m'n fiets rook, die ik onlangs moest plakken? Puik glas. **eten** Dit schreeuwt om oesters, schelpdieren of flinke strakke zoutwatervis. Probeer ook eens een haring. Kijken of dat werkt. **aroma's** Sinaasappel, binnenband, specerijen.

Esperanza Rueda

Verdejo 2007

ES RUEDA	13%		🅢🅟 🌐
750 ML	€ 9,35	SMS 1208	

proeven & ruiken Mooi en zuiver. Geen vervelende nasmaakjes, maar een heerlijk verfrissend mondgevoel. Veel tropische aroma's in deze Spanjool. **eten** Lekker bij kaas, na de maaltijd. Liever tijdens? Dan met een mooie rijke salade met rivierkreeftjes, rode mul, inktvis. Dat soort dingen. **aroma's** Ananas, mango, banaan.

Colle dei Venti

Pecorino 2007

IT ABRUZZO	13%		🅢🅟 🌐
750 ML	€ 9,50	SMS 1211	🅒

proeven & ruiken Pecorino, klinkt als kaas, is het ook. Maar in dit geval is het toch echt een druif. Een autochtoon zelfs, voor de Abruzzo. Heerlijk mineralig, fijne aroma's van appel, perzik en peer. Tikje zepig, wat hem een heerlijk gevoel in de mond geeft. Een vrijdagavondwijn, om een mooie, lange avond te beginnen. Met veel mooie lekkere wijnen. **eten** Uitsluitend mooie visgerechten. Denk aan tarbot, zeebaars, kabeljauw. Lekkere salade en natuurlijk een stukje brood erbij. **aroma's** Peer, appel, perzik.

Caldora

Trebbiano d'Abruzzo 2007

IT ABRUZZO	12%			
750 ML	€ 5,95	SMS 1212		

proeven & ruiken Een '*bargain*'. Oftewel: veel kwaliteit voor weinig pecunia's. Mooie zuren, heerlijke aroma's en een fijne mineraliteit die de wijn stevig in het zadel houdt. **eten** Pasta's, antipasti, harde kazen, zoutwatervis met niet te vette sauzen. **aroma's** Mango, appel, citrus.

Domaine de Valensac

Chardonnay 2007

FR PAYS D'OC	13,5%			
750 ML	€ 7,75	SMS 1229		

proeven & ruiken *Sud de France*. Prachtige chardonnay komt daar vandaan. Vaak rijker en wat boerser dan uit de Bourgogne. Deze heeft hazelnoot, citrus, een walmpje geroosterd brood en een heerlijk frisse, lange afdronk. **eten** Rijke vis- en groentegerechten. **aroma's** Hazelnoot, citrus, geroosterd brood.

Martin Schaetzel
Pinot Blanc Cuvée Réserve 2006

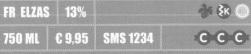

FR ELZAS	13%		🌸 🛞 ⬤
750 ML	€ 9,95	SMS 1234	Ⓒ Ⓒ Ⓒ

proeven & ruiken Een Ti Ta Tovenaarwijn noem ik dit. Hij klapt in z'n handen en baf! ik zit in de Elzas. Wat een neus, wat een smaak. Zo typisch Elzas: nergens in de wereld maken ze wijnen van deze druiven, met deze kwaliteit. Wat nou, pinot blanc zou een vlakke smaak hebben? Heerlijke mango, prachtige carambole en waanzinnige citrustonen. Ga maar door, witte peper, laurier, zelfs een jeneverbes. En baf! we zijn weer terug in het natte Nederland. De fles is leeg. **eten** Indien toegestaan, ganzenlever. Altijd geoorloofd, zuurkool. Waanzinnig, een uurtje of zes gestoofd, met ganzenvet, laurierblaadje, jeneverbes en een flink glas wijn. **aroma's** Mango, witte peper, laurier.

Riff
Pinot Grigio Terra Alpina 2007

IT VENETO	12%		🌸 🛞 ⬤
750 ML	€ 9,75	SMS 1235	

proeven & ruiken Zuiver en mineralig. Dat heeft hij voornamelijk te danken aan zijn ligging en de bodem waarop deze vriendelijke pinotgrigiodruiven groeien. Aan de voet van de Dolomieten, waar een eeuwenoude kalkstenen bodem, die vol fossielen zit, voor de mooiste aroma's en mineralen zorgt. **eten** Vis, schaal- en schelpdieren. Pasta, risotto met garnalen. **aroma's** Mineraal, citrus, specerijen.

Wijnbullshit

Een wijnproeverij is een perfecte manier om in korte tijd een breed scala aan wijnen te leren kennen. Het biedt je de mogelijkheid om verschillende wijnen uit één gebied tegelijk te proeven, meerdere wijnen van één druif, of het aanbod van één producent te onderzoeken. Dat is thuis niet te doen: je trekt niet tien wijnen open om er halve glaasjes uit te halen en vervolgens de rest weg te gooien. Door goede proeverijen te bezoeken kun je snel je smaakgeheugen trainen, wat je in staat stelt om wijnen te gaan herkennen.

Waarom krijgen maar weinigen het voor elkaar om een goede proeverij voor consumenten neer te zetten? Ter illustratie, dit maakte ik vorige week mee: een grote zaal in Amsterdam met twintig consumenten die vijftig euro op tafel hebben gelegd om hier Italiaanse toppers te proeven; allemaal hebben ze een kostbaar glas barolo voor hun neus. Aanwezig zijn verder de importeur, de vinologe en een drietal Italiaanse wijnproducenten. Vinologe (probeert enthousiast te doen): 'Wat vindt u van de kleur?' Publiek (kijkt naar het glas): *stilte*. Vinologe: 'Nou, laten we dan maar eens gaan ruiken. Wat ruikt u zoal?' Publiek (snuffelt voorzichtig): *stilte*. Vinologe (zichtbaar nerveus): 'Welnu, laten we dan maar eens gaan proeven. Zijn er mensen die iets opmerkelijks uit deze wijn halen?' Publiek: *stilte*. Op pijnlijke wijze constateert de vinologe dat het haar niet lukt de mensen te interesseren voor haar presentatie.

Aan de wijnen lag het niet, we kregen we zelfs erg mooie; de uitschieter was een langhe rosso genaamd Fabio van Andrea Oberto, een Piëmontese rode wijn gemaakt van nebbiolodruiven. Een weelderige, frisse wijn met een neus van gedroogde pruimen, wat viooltjes, in de verte munt en zelfs een aroma dat op Velpon leek. De dames naast mij schaterden het uit bij het woord Velpon, maar vielen stil toen ze het door deze uitleg óók roken.

Iemand die niet weet dat geel geel is, kun je niet vragen welke kleur een banaan heeft. Net zomin kun je van een ongetrainde tong verlangen de smaak van een 'afgeronde tannine' te herkennen. Mensen die vijftig euro voor een proeverij betalen willen een handreiking, smakelijke voorbeelden en uitleg over de wijnen, geen statisch en technisch bullshitverhaal.

Reichsrat Von Buhl

Riesling Trocken 2007

DE PFALZ	12%		
750 ML	€ 9,84	SMS 1002	

proeven & ruiken Reichsrat Von Buhl, het klinkt een beetje fout, zo'n naam, maar dit is nou een echte knisperriesling. Hij springt je neus in met allemaal fruitige aroma's als abrikoos en prikkelende kruidigheid (ik ontwaarde zelfs wat kaneel en kardemom) en daarna spat hij van de mineralen op je tong uiteen (proef dat lichtzilte prikkeltje op je tong). Om daar een scala aan frisse smaken zoals zoete gele appel, abrikoos, de schil en het sap van citroen en sinaasappel gewillig los te laten. **eten** Top bij gegrilde vis met mooie geurige sauzen. Maar ook zal hij z'n mannetje staan bij gerookte vis, en zelfs voor gevogelte als goede, mooie biokippetjes of fazant draait ie z'n hand niet om. **aroma's** Citrus, appel, abrikoos.

Romano Dogliotti

La Caudrina - Moscato d'Asti 2007

IT ASTI	5,5%		
500 ML	€ 8,80	SMS 1053	

proeven & ruiken Waanzin! Dit is echt een supergave wijn, maar hij vereist wel even wat denkwerk. Zoet, heel zoet. Bubbels, hele fijne bubbels. Met de hele fruitmand in het kleine flesje. Nootjes, sinaasappel, zoete appels, spijs en een lekker amandeltje. Nog iets leuks over dit flesje: het is, getuige het etiket, op 9 november 2007 gebotteld, het alcoholpercentage is laag (5,5%), wat een lieverd! Ga je hem je gasten serveren, geef er dan een mooie uitleg bij. **eten** Grote stukken blauwe, romige kaas, antipasti, amandelen, schuimtaart, bij voorkeur met hazelnotencrème. **aroma's** Amandel, sinaasappel, zoete appel.

Negroamaro del Salento

Domiziano 2006

IT APULIË	12,5%				⊛ ⬤
750 ML	€ 5,45	SMS 1215			

proeven & ruiken Apulië, in het zuiden van Italië kent lange, zwoele en warme zomeravonden. Zo is deze dominiziano ook: zwoel en warm. Een vrouwenwijn. Maar dan wel voor dames met spierballen. **eten** Gegrilde stukjes vlees. Wat gevogelte met zachte, zwoele sauzen. **aroma's** Gedroogd fruit, specerijen, zwarte bessen.

Domaine de l'Arjolle

Blanc 2007

FR LANGUEDOC	12,5%				↻ ⬤
750 ML	€ 5,70	SMS 1217			↻

proeven & ruiken Het gaat hier 'slechts' om een Vin de Pays. Maar dat zegt dus in dit geval helemaal niets. Wat dus eigenlijk wel weer zegt dat er fantastische VdP's te krijgen zijn. Mooi en fris, zelfs wat elegant. Een tussendoortje, of als begeleider van eenvoudige voorgerechten. **eten** Voorgerechten met vis, vlees of kleine antipasti en tapas. **aroma's** Muskaat, banaan, citrus.

Due Palme Salento

Rosato 2007

IT APULIË	13,5%			
750 ML	€ 5,78	SMS 1218		

proeven & ruiken Twee gekke autochtone druiven maken deze rosé tot iets bijzonders: de malvasia en de negroamaro. Vol, met veel smaak en geurige aroma's. **eten** Mediterrane gerechten met olijfolie, verse tomaten, tijm en rozemarijn. **aroma's** Aardbei, specerijen, braam.

Chakana

Wiphala 2007

AR MENDOZA	13,5%			
750 ML	€ 7,95	SMS 1219		

proeven & ruiken Dit zijn leuke flesjes. Niet alleen vanwege de heerlijke wijn die erin zit, gemaakt van malbec- en syrahdruiven, maar ook omdat ze een goed doel steunen. Per verkochte fles gaat er één dollar naar Boliviaanse ontwikkelingsprojecten. En daar houden wij zo van, drinken voor het goede doel. **eten** Gegrilde groenten. Barbecue. Kaas. Beetje van alles, als er maar smaak aan zit. **aroma's** Cassis, hout, laurier.

Di Lenardo

Refosco 2007

IT FRIULI	13,5%		
750 ML	€ 8,19	SMS 1220	

proeven & ruiken Refosco is echt een boerse wijn. Je proeft het land in het sap: krachtig en aromatisch. Heerlijk, het vakantie-gevoel. Niksdoen, boekjes lezen, en je enige zorg is: 'Wat eten we vanavond?' Overigens maakt Massimo di Lenardo ook nog een verbazingwekkend frisse Friuli chardon-nay. Wellicht een mooie voor volgend jaar in *Cuno 2010*. Je moet keuzes maken. **eten** Boerse maaltijden met worst, to-maten, veel kruiden. **aroma's** Geconfijt fruit, zwarte bessen, hout.

Domaine de Valcros

Banyuls

FR BANYULS	16,5%		
500 ML	€ 9,69	SMS 1221	

proeven & ruiken Een rode dessertwijn. Wij zijn er niet zo mee bekend in Nederland. Banyuls is een van de gebieden waar ze die dus wel zo heerlijk kunnen maken. Uitzonderlijk aromatisch en bijkans dik in de mond. Een waanzinnige afsluiter van een copieus diner. En een begin van, ja, van iets anders. **eten** Blauwe kazen, chocoladedesserts, heftige notentaart. **aroma's** Hazelnoot, vijg, rozijn.

Domaine de Rochebin

Mâcon Azé Chardonnay 2006

FR BOURGOGNE	12,5%		🕸 ⊙
750 ML	€ 9,94	SMS 1222	🔵

Domaine Engel

Riesling 2006

FR ELZAS	12,5%		🕸 ⊙
750 ML	€ 9,30	SMS 1225	🔵🔵

proeven & ruiken Eindelijk weer eens een top prijs/kwaliteitspareltje uit de Bourgogne. Hij valt met zijn € 9,94 nog net binnen de scope van *Cuno 2009*. Lekker droog, met heerlijke mineralen en mooi steenfruit, zoals perzik en pruim. **eten** Koude visgerechten. Ik dronk hem met pulpo, inktvis. Een heerlijke combi. **aroma's** Perzik, pruim, mineraal.

proeven & ruiken Ik zei het al eerder: ik ben een rieslingadept. Topwijnen kunnen ze van die druif maken. Of ze nou uit de Franse Elzas of uit het Duitse Baden komen. Altijd lekker. Vooral veel mineraal en waanzinnige aromatische impressies. Schandalig. **eten** Zuurkool ligt voor de hand. Daarom ook met salades, gevogelte en mooie zoutwatervisjes. **aroma's** Mineraal, lychee, carambole.

Domaine Tenareze

Colombard Baumann 2007

FR GASCOGNE	12%			
750 ML	€ 5,20	SMS 1246		

proeven & ruiken De colombarddruif: verwacht geen gigantische hoogstandjes of stoerdoenerij van hem. Maar wel een lekkere frisse, plezierige wijn. Eentje waarvoor je de parasol openklapt, de broekspijpen opstroopt, de kinderen uit het opblaasbad jaagt en er heerlijk zelf met je benen in gaat zitten. En dan maar hopen dat ze niet in de gaten hebben dat die fles na een uur leeg is. **eten** Voor- en visgerechten. Niet te zwaar; elegante begeleider. **aroma's** Pas gemaaid gras, groene appel.

Ficada

Rood 2005

PT TERRAS DO SADO	14%			
750 ML	€ 5,28	SMS 1247		

proeven & ruiken Portugal begint langzaam op te komen en dat is absoluut niet onterecht. Toppers maken die gekke jongens daar, die perfect passen bij mooie gerechten. En da's dan weer wel heel gek, want hun keuken – ja, wat zullen we nou eens over hun keuken zeggen… Dieprood, jong, springerig, hij roept erom gedronken te worden. Wacht daar ook niet te lang mee. Consumeer hem in z'n puberteit. Nu dus! **eten** Gerechten waar aubergine in zit. Stoofschotels of zo. Maar ook grillgerechten, als het goed zomert, van de barbecue. **aroma's** Frambozen, aardbeien, kersen.

WIJNSPECIAALZAAK

Cave des Vignerons de Buxy
Clos de Chenôves Bourgogne 2006

FR BOURGOGNE	13%		🍴 ⚫
750 ML	€ 8,94	SMS 1100	C C C

proeven & ruiken Bloemetjes, gele appel, en best een aardig shotje kruiden, zoals witte peper, foelie, beetje laurier. Smakelijk. **eten** Vettige vis, stukje gerookte zalm, kip in 't pannetje. Of, ook lekker, boerenkoolstamppot met gerookte worst. **aroma's** Gele, zoete appel, witte peper, laurier.

Union des Viticulteurs
Chablis 2007

FR BOURGOGNE	12,5%		🍴 ⚫
750 ML	€ 7,99	SMS 1183	C C

proeven & ruiken Kijk, zo zien we dat graag. Een mooie stijlvolle chablis voor een schappelijke prijs. Voor dat geld willen we hem wel elke dag hebben. Veel frisse sappigheid, met een kleine toasting als surplus. **eten** Schaal- en schelpdieren. Oestertje, kreeftje, maar mosselen zullen ook goede vriendjes worden met deze chablis. **aroma's** Banaan, gele appel, geroosterd brood.

WIJNSPECIAALZAAK

Les Héritiers du Marquis de Bieville
Chablis 2006

FR BOURGOGNE	12,5%			
750 ML	€ 7,99	SMS 1227		

proeven & ruiken Dat chablis uit het noordelijke gedeelte van de Bourgogne komt, proef je heel erg aan deze jongen. Friszuur, met fijnzinnige aroma's van witte bloemen, zoete appels en een pruimpje. **eten** Schaal- en schelpdiertjes. Mooie lik mayo erbij. **aroma's** Bloemen, appel, pruim.

Château Vieux Cantelaube
Saint-Emilion 2006

FR SAINT-EMILION	13%			
750 ML	€ 6,99	SMS 1152		

proeven & ruiken Saint-Emilion, het kleine regerende wijndorp boven op de heuvel aan de rechterkant van de Bordeaux. Hoewel het de laatste decennia overspoeld wordt door busladingen Chinezen, Duitsers en Nederlanders is het er best aardig toeven. Lekkere glaasjes wijn op het terras en prima restaurantjes voor een mooi diner. Pas wel op voor de 'proppers' die je overal naar binnen willen trekken. Deze wijn is typisch voor de streek: strakdroog met een aardige koek-kruidigheid, ronde tannines en een klein beetje zoet van de merlot. Vakantiewijn! **eten** Gegrild vlees. Kip, fazant of harde Hollandse kaas. Geen geiten- of andere hoog op zuur zijnde kazen. **aroma's** Specerijen, rode bessen.

WIJNSPECIAALZAAK

149

Alain Brumont

Gros Manseng - Sauvignon Blanc 2007

FR GASCOGNE	12,5%			
750 ML	€ 6,38	SMS 1009		

proeven & ruiken Gros manseng: een typisch druifje uit de Gascogne dat voor een knetterend citroentje in de wijn zorgt. Lekker aangevuld met sauvignon blanc voor frisheid en stuivendheid maakt het deze witte zuid-wester tot een knapperig Zuid-Frans tussendoortje. **eten** Ach, waarom combineren? Schoffel hem voor het eten, tijdens het koken, gewoon naar binnen. De ideale 'kookwijn', zullen we maar zeggen. **aroma's** Citroen, honing, buxus.

Mezzacorona Teroldego

Rotaliano Riserva 2004

IT DOLOMIETEN	13%			
750 ML	€ 8,94	SMS 1153		

proeven & ruiken Fris en sappig. Met een mooie tannine in de mond, waardoor hij een flinke *bite* houdt. Dit zijn wijnen waar je lekker lang en (liefst) met anderen van kunt genieten. Maar dan wel een beetje rap doordrinken, want daar leent hij zich bij uitstek voor. **eten** Pasta's. Gevogelte en rood vlees. **aroma's** Confiture, rode bessen, amandel.

Santa Cristina

Chianti Superiore 2006

Séduction

M 2005

IT CHIANTI	13%			FR HAUTE-MEDOC	12,5%		
750 ML	€ 8,99	SMS 1156		750 ML	€ 8,95	SMS 1175	

proeven & ruiken Sangiovese, dé druif van de Chianti. Letterlijk vertaald het bloed van Jupiter. Nou, bloederig, dat zullen we niet zo snel zeggen. Maar aan de andere kant heeft hij wel altijd iets ijzerachtigs, iets met een tomatenneusje. Zooo sangiovese! **eten** Biefstukje met jus en aardappelen. Meer niet. Nou ja, oké, ander mooi rood vlees, dat kan ook best. **aroma's** Tomaat, aards, specerijen.

proeven & ruiken Hij heeft iets wilds, deze Haut-Medoc. Iets dierlijks in de neus, dat steeds afwisselt met lekkere tonen van cassis en gedroogde pruimen en vijgen. Kan makkelijk nog een paar jaar liggen en heeft een flinke teug lucht nodig voordat je hem in het glas mietert. **eten** Wild en gevogelte. **aroma's** Cassis, stal, gedroogde pruimen.

Een goed boek over wijn is zoiets als een mooi geschreven kookboek met smakelijke afbeeldingen van de gerechten. Tijdens het lezen word je meegevoerd naar een zonovergoten chateau voor de geboorte van een wijn die uiteindelijk als edel vocht in je glas belandt. De beste boeken zijn als een onafscheidelijke vriend. Onmisbaar voor iedere liefhebber, een referentiekader voor je aankoopbeleid. En als je *Cuno 2009* uit hebt, en ook eens over andere wijnen wil lezen, zijn er nog de volgende aanraders.

Samen met Matt Skinner, de wijnfreak uit het Jamie Oliver-vriendenclubje en sommelier bij restaurant Fifteen in Londen, schreef ik dit jaar *Superwijn 2009* (Kosmos Uitgevers, 2009). Een compact gidsje met honderd wijnen voor elke gelegenheid. Lekker leesbaar geven we een overzicht van wijnen, die hij in belevingscategorieën heeft ingedeeld. De categorie 'geven' valt het meest op; bij deze wijnen moet de eerste indruk meteen de beste zijn. Wijnen die direct moeten knallen, tijdens je eerste date, om een salarisverhoging te vieren of als cadeaufles voor een kenner. Geen moeilijke wijnpraat in dit boek, maar treffende beschrijvingen.

Hans Melissen, regisseur van onder andere *Villa Felderhof*, schrijft ook over wijn, altijd met een knipoog naar de traditionele en soms wat stoffige wijnwereld. Zijn nieuwste werk, *Fransen kunnen niet koken en hebben geen verstand van wijn*. (Syrah, 2008), bevat Hans' waanzinnig leuke verhalen over de Fransen en de wijnwereld staan garant voor een lange avond lezen, met een goed glas wijn erbij.

De ultieme aanschafgids voor Franse wijnen is al jaren de *Guide Hachette des Vins*. Een geheel in het Frans geschreven naslagwerk dat zeer gedetailleerd vijfendertigduizend wijnen beschrijft voor de serieuze hobbyist. Per wijn eerst een korte inleiding, dan praktische informatie, de prijscategorie en uiteindelijk één of meerdere sterren om de kwaliteit aan te geven. De gids is te zwaar om in je binnenzak te hebben, maar daar zou hij zich eigenlijk wel permanent moeten bevinden.

Het weer wordt steeds beter voor nieuwe boeken en lekkere wijnen; de open haard kan aan, ontkurk een mooie fles, nestel je op een behaaglijke plek en ga lekker wijnlezen.

Domaine de Félines

Picpoul de Pinet 2007

FR LANGUEDOC	13%		

750 ML	€ 6,95	SMS 1103	

proeven & ruiken Picpoul uit Pinet wil nog wel eens een zuurtje ontberen, waardoor hij kan omvallen en duf wordt. Niet bij deze van Domaine de Félines. Deze heeft precies genoeg om hem het ultieme doordrinkgehalte mee te geven. Lekker, vooral met schaal- en schelpdieren. **eten** Schaal- en schelpdieren. Krabbetjes, kreeftjes, kokkeltjes. Al het smulwaar uit de grote zeeën. Wel opletten dat het verantwoorde vis is. Kijk daarvoor bij mijn verantwoorde visvriend Eric van As op www.visseizoen.nl of op www.goedevis.nl. **aroma's** Groene appel, citrus, specerijen.

Paul Cluver Elgin

Sauvignon Blanc 2005

ZA ELGIN	13,5%		

750 ML	€ 8,94	SMS 1107	

proeven & ruiken Sap en frisheid. Wel even goed koelen, anders is het stukje hout dat erin zit iets te overheersend. **eten** Gerookte vis, kip of bij de barbecue, en in de winter gewoon in de grillpan mieteren die vis. **aroma's** Mandarijn, citrus, buxus.

Weinviertel DAC

Grüner Veltliner 2007

AT NIEDERÖSTERREICH	13%	✿ ⊙ ⊕
750 ML	€ 7,95	SMS 1060	⊙

proeven & ruiken De neus verraadt een frisse Oosten-rijker, afgewisseld met wat geel fruit zoals abrikoos, perzik en citroenzeste. Mond tintelt en geeft achterin wat romig-heid. Schoon en vers. **eten** Zomerse salades met wat avoca-do, grapefruit. Witvis met wittewijnsaus. **aroma's** Abrikoos, perzik, citrus.

Les Vignerons Réunis

Montagny Premier Cru 2006

FR BOURGOGNE	13%	⊗ ⊕
750 ML	€ 9,75	SMS 1111	⊙

proeven & ruiken Wel wat vet in de neus, maar absoluut geen botergebabbel. Z'n ouder-dom (2006) geeft hem ook nog eens een mooi notig karakter mee. Fris en jong drinken (2 à 3 jaar na de oogst), maar nog een paar jaartjes in de kelder is ook geen straf voor hem. **eten** Witte vis, gevogelte, mag een beetje gerookt en wat zoutig zijn. **aroma's** Notig, manderijn, citrus.

Saucisson
Aux Herbes
18.70 €/kg

Saucisson
Aux Noix
18.70 €/kg

Vignerons des Terres Secrètes
Terra Incognita 2006

FR MÂCON-VILLAGES	13%	
750 ML	€ 9,94	SMS 1113	C C C

proeven & ruiken Ik snap niet waarom deze boys incognito willen blijven. Dit glas is briljant en dat mag gezegd worden! Niks geheim, schreeuw het van de daken. Een prachtige elegante neus met veel zacht wit en geel fruit. In de mond een hoop frisheid, karakter en interessante complexiteit, die met de slok verandert. Elke keer weer een nieuwe ontdekking. Drie Cuno's geef ik hem mee. En laten we dat nou alsjeblieft niet geheimhouden. **eten** Verse witte gegrilde vis, krabbenpoten met verse mayo. Gevogelte en een mooi (bio)karbonaadje. **aroma's** Citrus, notig, specerijen.

Clos de Chenôves

Bourgogne 2006

FR BOURGOGNE	13%		
750 ML	€ 8,94	SMS 1123	

Vignerons des Terres Secrètes

Terra Incognita 2006

FR MÂCON-VILLAGES	12,5%		
750 ML	€ 8,94	SMS 1127	

proeven & ruiken Rode bourgogne is vaak hoog geprijsd. Deze niet. Een stijlvolle pinot noir uit het enige gebied ter wereld waar hij het allerbeste gedijt: de Franse Bourgogne. Licht en fris, prachtig helder van kleur. Tikje koeling geven en je geniet. **eten** Harde kaasjes. Beetje rood vlees, stukje kip. **aroma's** Kers, zwarte peper.

proeven & ruiken We hadden ook al de witte variant van deze 'geheime' wijnmakers op tafel gehad. Het rode broertje, gemaakt van gamaydruiven, doet er absoluut niet voor onder. Een mooi mondgevoel met rode besjes, kersen en wat cassis. **eten** De hele mediterrane keuken, maar ook Aziatisch zoals Chinees, Japans en wat Thais. **aroma's** Rode bessen, cassis.

Torre del Falasco

Ripasso 2006

IT VALPOLICELLA	13,5%		
750 ML	€ 7,95	SMS 1128	

proeven & ruiken Ripasso, het kleinere zusje van de wereldberoemde amarone. Frisser en lichter, daardoor veel beter voor even tussendoor. **eten** Rood vlees, kruidige vegetarische gerechten, veel gegrilde groenten met mooie olijfolie. **aroma's** Gedroogd fruit, hout, pruimen.

Finca Flichman

Expresiones Reserve 2006

AR MENDOZA	14,6%		
750 ML	€ 9,94	SMS 1146	

proeven & ruiken De combinatie van syrah met cabernet sauvignon: ik smul ervan. Of het nou uit de Franse Provence of uit het Argentijnse Mendoza komt. Het is het beste van twee werelden. Stevig en karaktervol door de *'cabsav'* en rond, kruidig en lichtzoet door de syrah. **eten** Bonenschotels met vettige worstjes. Gegrild biovarkentje of een mooie primerib. **aroma's** Specerijen, cassis, tabak.

Finca La Barca

Rioja Reserva 2003

ES RIOJA	14%		� ◉
750 ML	€ 7,49	SMS 1161	⟳

proeven & ruiken Dat romige vanilleneusje, dat kan soms zo welkom zijn. Vooral op de koude winteravonden, met een open haard, goed gezelschap en een stevige maaltijd. Maar ook driehoog achter, met de cv op 20 en een fijne crimi op de buis. Tempranillo, van zichzelf een zoetige druif, gecombineerd met een flinke tijd op eikenhout, dat is de veroorzaker van die vanille. Smullen. **eten** Vette, volle vleesgerechten. Of groentetaartjes met kaas. Olijven en olijfolie, het kan. Echt. **aroma's** Cederhout, vanille, rode bessen.

Bergsig

Chardonnay 2007

ZA WESTKAAP	14,5%		� ◉
750 ML	€ 7,95	SMS 1214	

proeven & ruiken Ontegenzeggelijk die geroosterd-brood-neus. Wat boter erop, beetje bruine suiker en dat lekker laten smelten. Tussen al dat romige duidelijk veel aroma's van citrus, wat mango en zelfs een hint van banaan. **eten** Vette, eventueel gerookte vis, zoals zalm of tonijn. Maar een lekker makreeltje kan ook. **aroma's** Geroosterd brood, boter, citrus.

Les Vignes Retrouvées

Côtes de Saint-Mont Rouge 2005

FR GASCOGNE	13,5%		
750 ML	€ 5,75	SMS 1236	

Rustenberg Roxton

Viognier 2007

ZA WESTKAAP	15%		
750 ML	€ 9,94	SMS 1057	

proeven & ruiken Gascogne brengt over het algemeen vrij *easy to drink* rode wijnen voort. Geen hoogvliegers, maar ook geen laagvliegers. *Middle-of-the-road*, zeg maar. Lekker, voor tussendoor of bij een ongecompliceerd gerecht. **eten** Vleesgerechten. Balletje gehakt. Shoarma met veel knoflooksaus. **aroma's** Zwarte bessen, laurier, zwarte peper.

proeven & ruiken Kanonnen, wat een alcohol. Maar liefst 15 hele procenten. Toch niet echt storend, maar zeker geen ontbijtwijntje. Superkruidig met een lekkere lik boter in de neus. Bloemetjes op je tong, vergezeld door mandarijnen en limoen. **eten** *Make it big!* Veel gegrilde zaken, gooi de barbecue aan en serveer hem koud. Geen barbecue in de buurt of veel te koud? Grillpan op het vuur. *Anything will do.* **aroma's** Citrus, bloemen, specerijen.

WIJNSPECIAALZAAK

Canaletto Primitivo
2005

IT PUGLIA	13,5%				
750 ML	€ 6,99	SMS 1174			

proeven & ruiken Ramt daar even een flinke snuif bloemen je neus in. Daarna lekker rood fruit, maar zeker geen katje om zonder handschoenen aan te pakken. Flinke jongen uit de hak van de laars. **eten** Pastagerechten of risotto's met paddenstoelen, truffel of zwezerik. **aroma's** Bloemen, gedroogd fruit, pruimen.

Cu4tro
2003

ES CATALUNYA	13,5%			
750 ML	€ 9,44	SMS 1081		

proeven & ruiken Aardbei, kers, een lichte stalachtigheid. Mooi en bescheiden. 2003, da's toch al 5 jaar in het flesje, en dan nog steeds steeds zo jeugdig. Bravo! **eten** Pastaatje, biokippetje en wat spek; als laatste een blaadje rucola erover. Smullen. **aroma's** Kers, aardbei, stal.

Slowine
Rosé 2007

Wild Rush
Cape Red Rosé 2007

ZA WESTKAAP	12,5%	
750 ML	€ 8,94	SMS 1114

ZA WESTKAAP	14%	
750 ML	€ 5,99	SMS 1119

proeven & ruiken Soms gaat de etiketcreativiteit iets te ver: veel informatie waar je niet op zit te wachten. Ach, als de inhoud maar klopt. En dat doet hij. Lekkere mondvullende rosé met een hoog sapgehalte en een goede bitter voor een fijne *bite*. **eten** Salades met vis, tomaten, balsamico. Gegrild vlees. Gehaktballen, spinazie. Veel frisheid. **aroma's** Kersen, aardbeien, hout.

proeven & ruiken De prijs in combinatie met de kwaliteit, dat verdient een extra vermelding. Lekker soepel, veel bramen en een flinke dot hout in de neus. Wijn van het glas in de mond en je wordt dezelfde bramen gewaar. Eenvoudige doordrinker met een lekker mondgevoel na afloop. **eten** Oosterse gerechten, pizza's, en gekoeld bij barbecuegeweld. **aroma's** Bramen, hout.

Wild Rush
Cape White 2008

ZA ROBERTSON	12%				
750 ML	€ 5,99	SMS 1187			

proeven & ruiken Een flinke mix van colombar-, sauvignon-blanc- en chardonnay-druiven. Levert veel frisheid en een lekker fijn kruidig karakter op. Zelfs iets wierookachtigs in de neus. Spannend! **eten** Alle zeevruchten, zolang het maar zwemt. **aroma's** Bloemen, gele appel, citroenschil.

Rustenberg Roxton
2008

ZA WESTKAAP	13%				
750 ML	€ 8,49	SMS 1195			

proeven & ruiken Lekker stevig, met een aangenaam zoetje in de neus. In de mond daarentegen is hij goed droog. Voor een rosé. **eten** Zo, of met een mooie salade. **aroma's** Framboos, aardbei.

Wild Rush
Cabernet Sauvignon Rosé 2008

Unplugged 62
Merlot / Shiraz Wood Matured 2005

ZA ROBERTSON	12,5%			ZA WESTKAAP	14%		
750 ML	€ 5,99	SMS 1198		750 ML	€ 8,95	SMS 1248	

proeven & ruiken Cabernet-sauvignon-rosé uit de Bordeaux heeft nog wel eens de neiging om laf en saai te worden. In de Zuid-Afrikaanse Robertson Vallei weten ze er wel raad mee en geven ze hem net de juiste mineraliteit mee die hem jong en levendig maakt. **eten** Voor, na en tijdens het eten. Of zonder eten. Maar als je erbij eet, houd het licht. Salades, visjes of antipasti. **aroma's** Aardbei, framboos, mineraal.

proeven & ruiken Dat 'unplugged', geheel onduidelijk wat de Zuid-Afrikaanse wijnman Joubert Tradauw daar nou mee bedoelt. Misschien het ruige, rauwe dat deze merlot/shiraz in zich heeft. Buitengewoon stoere wijn die niet voor één gat te vangen is. **eten** Stevige gerechten. Gerookte ribeye. **aroma's** Tabak, hout, kersen.

Rieslings op de middenstip

September en oktober zijn altijd een beetje de dolle dwaze maanden van de wijn. In veel Europese wijnlanden wordt dan keihard gewerkt om de oogsten op tijd binnen te halen. De eerste druiven worden tot sap geperst en de oogstfeesten worden georganiseerd. Dé beloning voor plukkers, boeren en boerinnen die weer aan het begin van de opvoeding van mooie wijnen staan.

Een van de leukere proeverijen – zowel voor de vakman als voor de consument – die we in die periode in Nederland hebben, vindt vandaag plaats op de middenstip van de Amsterdam Arena: Riesling & Co. Ieder jaar weer een samenkomst van producenten van een van de mooiere wijnsoorten, de riesling.

Een godendrank genoemd naar zijn druif, waarvan vaak ten onrechte gedacht wordt dat deze uitsluitend in Duitsland groeit. In Frankrijk, Australië en Zuid-Afrika gedijt hij ook prima. Deze druif brengt prachtig mooie, elegante en geraffineerde wijnen voort die over grote gastronomische kwaliteiten beschikken, waarvan de combinatie met oosterse gerechten wel de bekendste is. Rieslings worden gekenmerkt door frisse zuren en aroma's van bloemen en fruit. Oudere jaargangen kunnen soms het zogenaamde *goût de petrol* ontwikkelen. Je ruikt dan een spoortje kerosine in de wijn. Sommigen vinden het gruwelijk, anderen zijn er dol op.

Tragugnano Sergio Mottura
2007

Cantina Vaglie Matricale
2006

IT LAZIO	13,5%	🌸 🕸 ◉	IT UMBRIË	12,5%	🕸 ◉
750 ML	€ 9,95	SMS 1269	750 ML	€ 8,95	SMS 1270	🔄

proeven & ruiken Ook hier weer eens drie totaal onbekende druiven, en dat maakt het lekker spannend. 40 procent procanico, 30 procent verdello en 30 procent grechetto. Ooit van gehoord? Berelekker. Met aroma's van wilde bloemen, tijm en salie. Hij lijkt op het eerste gezicht best droog, maar later komt hij los en toont hij zich volslank. En nog bio ook. Gezond voor lijf en leden. **eten** Veel pasta, risotto met vis, of gewoon een lekker gegrild stukje witvis. **aroma's** Tijm, bloemen, salie.

proeven & ruiken Uitsluitend op z'n Italiaans doen ze het bij Villa Fattoria. En da's fijn, dan hoef je niet zo lang te zoeken. Deze orvieto classico superiore was snel gevonden. Wat een heerlijk glas. Flink rijp maar nog steeds aangenaam droog. Wat gele appels, wat bloemen en voldoende zuren. Heerlijk! **eten** Vis, mosselen en een lekkere hap nasi. Wel een beetje aangepeperd. **aroma's** Appel, honing, bloemen.

Villa Vetrice
Chianti Rufina 2006

Tedeschi
Valpolicella 2005

IT TOSCANE	12,5%		✪ ◉	IT VENETO	12,5%			✪ ◉
750 ML	€ 8,95	SMS 1271	⚙	750 ML	€ 9,25	SMS 1272		

proeven & ruiken Die Toscaanse wijnen, ze kunnen soms zo schrikbarend duur zijn dat je er al helemaal geen zin meer in hebt. Kom je er, rijdend door het glooiende landschap, langs de weg een tegen die wel te betalen is, dan valt hij vaak tegen bij thuiskomst. De chianti van Villa Vetrice viel geenszins tegen. Niet qua smaak en niet qua prijs. Volrood, met elegante tonen van tomaat en kersen. Ver weg een mooi hintje van het hout. Bella Italia! **eten** Vlees en gevogelte, allen omlijst met mooie volle sauzen. Een kalfsjus bijvoorbeeld, als je zin en tijd hebt om die te maken. **aroma's** Kers, tomaat, specerijen.

proeven & ruiken Tedeschi is een groot en bekend huis. In de schappen van de betere wijnwinkels zie je meestal wel een flesje liggen. Gelukkig ook online, zodat we de deur niet uit hoeven als er weer eens een KNMI-weeralarm van kracht is. Robijnrood van kleur, maar heel fris in de neus en de mond. Veel jonge rode besjes, wat aardbei en wat lichte kruiden als kaneel. **eten** Good old pasta. Hoeveel kun je daar niet mee combineren. Een mooie, langgegaarde gehaktsaus erbij van natuurlijk kalfsgehakt. **aroma's** Kers, rode bes, specerijen.

De ontgoochelde wijnneus

Ik ben in Australië met Hans. Hans is wijnverhalenschrijver, zo iemand die vindt dat zonder verhaal geen wijn kan bestaan. Zucht. Maar bovenal is Hans een groot wijnkenner en een goede wijnvriend. Zo'n wijnvriend met wie je spart, proefervaringen deelt en vooral veel lacht. Hans heeft een tomeloos gevoel voor humor en schrijft ijzersterke verhalen. En toch wordt hij door een deel van het wijnschrijversgilde met argusogen bekeken. Er zijn er zelfs bij die hun vingers natellen nadat ze hem de hand hebben geschud. Hij is niet serieus genoeg, vinden zij. De wijnwereld moet namelijk uiterst serieus blijven, vinden zij ook.

Die dag zitten we in het epicentrum van de Australische wijnproductie: Barossa Valley. Op het hoofdkantoor van Jacob's Creek, een van de grotere Australische wijnbedrijven. Hier wordt geen wijn gemaakt, hier wordt wijn geproduceerd, in grote productie-omgevingen, miljoenen liters. Voor ieder land zijn eigen wijn. Voor ieder volk wat wils.

We worden het sensory lab in gewurmd. Hier test Jacob's Creek zijn wijnen, en dan met name de aroma's, op grote groepen proefkonijnen. En wij zijn vandaag gewillige proefkonijnen, Hans en ik. In een volledig afgesloten hokje waarin uitsluitend rood licht brandt, krijgen we in zwarte ondoorzichtige glazen rode, witte en rosé-wijnen te proeven. Met daarbij de prangende vraag: 'Wat proeft u?' Slechts zeven van de tien heb ik in één keer goed. Proeven zonder kijken, zonder te weten of je rood of wit in je glas hebt, is moeilijk. Retemoeilijk.

Als finale krijgen we twee kleine glaasjes met een gel erin. Een groene gel en een transparante gel. Ruiken, proeven. Ik zou zweren dat de groene citroen is en de transparante aardbei. 'Gelul,' zegt Hans. 'Ze zijn allebei hetzelfde, allebei citroen.' 'Rot op,' kan ik nog net op tijd inslikken. 'Ja hoor, beide zijn citroen,' meldt de charmante laborante tot mijn ontstellende verbazing. Ze hebben gelijk. Ik schaam me diep. Wijnproeven is niet alleen proeven. Wijnproeven is kijken, ruiken, proeven. En soms zelfs stiekem een klein beetje voelen.

Tempus Two

Semillon Sauvignon Blanc 2007

AU HUNTER VALLEY	10%		🔄 ⚪
750 ML	€ 6,75	SMS 1265	🔵

proeven & ruiken Dit waanzinnig succesvolle Australische wijnbedrijf, dat geleid wordt door de charmante Lisa McGuigan, weet als geen ander brede en toegankelijke wijnen te maken. Een van Nederlands beste wijnmarketeers, Jaap Sonnemans, zag dat en heeft eigenlijk direct z'n biezen gepakt om Lisa te gaan vergezellen. Qua marketing dan. En da's maar goed ook want dan krijgen we nog meer van dit soort lekkere wijnen in Nederland. Vol en fris; een perfecte dorstlesser, mits je hem goed koelt. **eten** Stevige visgerechten met citroen en dille. **aroma's** Citrus, kruisbes, buxus.

Jordan

Chardonnay (unwooded) 2005

ZA STELLENBOSCH	13%		🔄 ⚪
750 ML	€ 10,00	SMS 1266	

proeven & ruiken Da's wel gek, op zich. De wijngaarden van Jordan worden niet geïrrigeerd, ze krijgen geen water kunstmatig aangeleverd en moeten het dus volledig van regenval hebben. Dat zie je niet veel in de Nieuwe Wereld. In de Oude Wereld, Europa, is het echter veelal verboden om te irrigeren. Daardoor krijg je hele sterke druiven, die zich kapot moeten knokken om aan water te komen. Proef je meteen. Veel mooie zuren en een rijke bek vol fruit. Zonder hout, gelukkig. **eten** Veel Aziatisch eten zal blij worden van deze wijn, vooral door z'n mooie zuren. **aroma's** Citrus, banaan, meloen.

Domaine de la Baume

Viognier 2006

FR LANGUEDOC	13,5%				
750 ML	€ 5,95	SMS 1267			

proeven & ruiken Viognier is beroemd door de condrieu-wijnen uit de Rhône, maar ook die uit andere gebieden van Frankrijk is steeds populairder aan het worden. Hele rijke wijn brengt hij voort, die gevuld is met zoetsappige aroma's van honing, perzik en wat mango. Top! Hij is nu wel een beetje in het cultcircuit aan het raken. Daar halen we hem uit! **eten** Rijke visgerechten, mooie vleesgerechten. Bijvoorbeeld een gegrild buikspekje van de big. Gevogelte met wittewijnsaus. **aroma's** Mango, perzik, honing.

Firriato Branciforti

Rosso 2004

IT SICILIË	13,5%				
750 ML	€ 6,25	SMS 1268			

proeven & ruiken Ooit heb ik deze geko-zen als een van de beste rode huiswijnen in het horeca-middensegment. En dat is hij nog steeds. Toegankelijk, maar met karakter. Zachte tannines die het ronde, rode fruit mooi inslui-ten en als een bommetje in je mond losla-ten. Een wildebrasje. **eten** Alles uit Italië, pasta's, antipasti of een lekkere osso-buco. **aroma's** Braam, bosbes, cassis.

Slaapkamergeheimen

Over wijn maken en wijn drinken wordt maar al te vaak heel erg spannend gedaan. Zo zou je een halve god moeten zijn om een lekkere fles wijn te kunnen maken en dien je minstens over een universitaire graad te beschikken om diezelfde fles op zijn merites te kunnen beoordelen. Interessant klinkende termen als 'terroirexpressie' en 'rijpingspotentieel' moeten het geheel nog meer gewicht geven.

Kijk, een pak melk is een pak melk (hoewel dat tegenwoordig ook al in low-fat, calciumvrij en Sonja Bakker-versie in de schappen ligt). Die melk komt van een koe en die koe staat in de wei. Die koe wordt vervolgens tweemaal daags gemolken door een boer. Et voilà, daar staat je glas Joris Driepinter.

Wat de meeste wijnboeren je liever niet willen vertellen is dat het bij wijn niet anders is. Er is een boer. Die boer heeft een mooi stukje land; daarop verbouwt hij druiven. Als de druiven rijp zijn en voldoende suikers hebben ontwikkeld, plukt de boer ze, hij perst ze uit en laat het sap lekker vergisten totdat het een alcoholpercentage van 12 tot 14 heeft. Om het daarna in een fles te stoppen. Kurkje erop (of liever een schroefdop, dat opent wat sneller) en klaar is uw kostelijk druivensapje.

Nutteloos geleuter rondom wijn, dat hoeft van mij niet zo. 'Steek je energie in dat sap en niet in de romantiek, romantiek bewaar ik wel voor de slaapkamer,' denk ik met enige regelmaat. Als ik een fles wijn koop voor € 8, wil ik daar het liefst voor minimaal € 5 aan real stuff in hebben. Van het overige geld mogen ze van mij best een leuk verhaaltje verzinnen, een aardig etiketje ontwikkelen en er een fijn dopje op schroeven. Weer zo'n mooie reden om je te richten op wijnen tussen de € 5 en € 10. Daar hoef je niet lang over te neuzelen, daar zit gewoon lekker spul in.

Bouchon

Merlot 2006

CL MAULE VALLEY	14%		
750 ML	€ 5,75	SMS 1261	

proeven & ruiken De merlot van Bouchon vind je op veel wijnkaarten als huiswijn. En da's maar goed ook. Deze wijn leent zich bij uitstek voor een match met vele gerechten. Hij heeft een warm mondgevoel van zachte kersjes en rode bessen. De subtiele tannine zorgt voor een perfect te verteren wijn. **eten** Ideaal als huisslobber, bij pasta's, eenvoudige vleesgerechten of lekkere antipasti. **aroma's** Rode bessen, kersen, gedroogde pruim.

Hoya de Cadenas

Rosado 2006

ES VALENCIA	12,5%		
750 ML	€ 5,95	SMS 1262	

proeven & ruiken Een paar jaar geleden, toen ik samen met Iens Boswijk van www.iens.nl de Amsterdamse huiswijncompetitie organiseerde, kwamen de wijnen van Hoya de Cadenas als verrassend interessant aan het oppervlak. Zowel de professionals als de consumentenproevers waren razend enthousiast. Nu, een paar jaar later, doen ze het nog steeds goed. De rosé is zeer toegankelijk, met fruit als aardbeien en bramen, maar heeft door z'n kleine beetje specerijen een goed karakter. **eten** Door z'n toegankelijkheid met veel gerechten te combineren. Let wel op frisheid: geen logge, te zware gerechten. **aroma's** Aardbei, braam, specerijen.

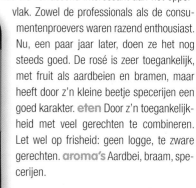

Weltevrede

Ouma se Wyn 2006

ZA BREEDE RIVIER VALLEI	15,5%	
750 ML	€ 9,94	SMS 1263

proeven & ruiken Niet bekkentrekkend, maar lekker zoet, met mooie specerijen, tropisch fruit zoals ananas en mango en als smaakmaker een beetje honing. Oma kammewat, ik drink hem lekker zelf op. **eten** Blauwe kazen, appeltaart, perentaart. **aroma's** Ananas, honing, mango.

Think Pink

Rosé 2006

PT ALENTEJO	12%	
750 ML	€ 7,75	SMS 1264

proeven & ruiken Jaren geleden ontdekte ik hem al, deze Portugese rosé gemaakt van castelão- en aragonezdruiven. Hij valt natuurlijk meteen op door z'n ludieke verpakking – aluminium. Dat houdt hem goed koel als je hem wil meenemen naar een zonovergoten park. Van binnen is het helemaal niet verkeerd wat ik proefde. Fris, sap, veel fruit en een lekkere *bite* van wat kruiden. **eten** Terras, plein, park of in bed. Altijd eigenlijk, maar je hoeft er niet bij te eten. **aroma's** Aardbei, kers, framboos.

Gezonde wijn

Waarom is een wijnland als Zuid-Afrika zo immens populair geworden de afgelopen jaren, zul je je afvragen. Waarom komen die wijnen met scheepsladingen tegelijk naar ons koude kikkerlandje om hier met sloten in onze verwende monden te belanden, terwijl we op nog geen zeshonderd kilometer van Amsterdam al de mooiste wijngebieden ter wereld hebben?

Simpel. Zuid-Afrika wist als geen ander land in te springen op onze dringende vraag naar goedkope wijnen. *No matter what*, wij wilden vanaf begin jaren tachtig het liefst zo weinig mogelijk geld aan een fles wijn besteden. Anders namen we wel een biertje: net zo lekker, wist Freddy H. ons te melden.

En in Zuid-Afrika dacht men toen net iets anders over arbeidsomstandigheden, hygiëne, kwaliteit en 'loon naar werken' dan wij dat in de westerse wereld doen. Kortom, onze discounters liggen tot de nok toe gevuld met Kaapse shit, waar je tandglazuur noch je lever aan wilt blootstellen. Maar ja, ze kosten maar € 2,99 per fles. Dus hups, gooi maar weer een doosje in de boodschappenkar.

En dat imago schud je niet zo maar even van je af. Eeuwig zonde, want in Zuid-Afrika maken ze tegenwoordig gruwelijk lekkere wijnen, zo ontdekte ik dit jaar weer tijdens een wijnovergoten reis langs de westkust.

Kleine boeren, veel zwarte of zogeheten *black empowered*-bedrijven, die met respect voor hun omgeving en voor hun arbeiders knetterzuivere wijnen produceren. 'Markteisen? Me rug op,' hoorde ik menige wijnboer roepen. Werd er vroeger op iedere vraag uit de markt direct gereageerd en werden de chardonnay-wijnstokken à la minute uit de grond gerukt als die markt om sauvignon blanc vroeg, nu laat men ze lekker staan. Wijnstokken hebben namelijk tijd nodig. Tijd om zo diep mogelijk hun voedingsstoffen op te halen. Gelukkig produceren die jongens geen wijnen voor € 2,99 meer, maar heerlijke, goddelijke zonovergoten wijnen van, nou ja, een eurootje of 7 à 8.

Ga op zoek naar die wijnen, ze zijn er. Echt. En je drinkt niet alleen lekkerder, maar ook beter. Beter voor jezelf, beter voor dit waanzinnige wijnland en beter voor de landarbeiders. En ook nog beter voor je tandglazuur. En da's wat waard.

Hoeve Nekum

Auxerrois 2006

NL LIMBURG	11%		🌐
750 ML	€ 5,95	SMS 1253	☿

proeven & ruiken De auxerrois zien we niet zo heel erg veel, maar in het koude, natte klimaat van ons eigen kikkerlandje doet hij het erg goed. Licht fris, met niet al te heftige zuren. Klein beetje citrus en erg floraal. **eten** Ook hier weer asperges. Komt omdat hij goed bevriend is met de pinot blanc. **aroma's** Citrus, bloemen.

La Gitana

Sherry Manzanilla

ES JEREZ	17%		🌐
500 ML	€ 7,95	SMS 1255	☿☿

proeven & ruiken Sherry: in de tijd dat mijn ouders 'jong' waren, schijnen de meeste huisvrouwen eraan verslaafd te zijn geweest. Gezellig met de buurvrouwen aan de borrel als de vijf in de klok zat. Ik betwijfel of dat manzanilla was. Die is zo kurk- en kurkdroog, dat je hem alleen bij mooie gerechtjes kunt drinken. Ziltig en toch fruitig, zo kun je hem het beste typeren. Maar dan heb je ook een spannend glas in je handen. Manzanilla olé! **eten** Oesters, oerhollandse zoute haring, geroosterde amandelen, gazpacho. **aroma's** Amandel, witte peper, bloemen.

Touraine

Rouge Cabernet Franc 2006

FR LOIRE	13%		🌐 ⚫	DE RHEINESSEN	9,5%		🌐 ◎
750 ML	€ 8,44	SMS 1256	🌀	375 ML	€ 8,94	SMS 1258	

Weingut Dorwagen

Beerenauslese 2003

proeven & ruiken Cabernet franc, ik vind het een spannende druif. Er kan zoveel mee fout gaan, maar als je dan een goede te pakken hebt, zit je gebeiteld. Lichtfris met wat specerijen, rode besjes en een introverte kers. Gekoeld serveren. **eten** Door z'n lichte karakter past deze rode wijn perfect bij vis. Zorg dat de vis wel wat extra smaken meekrijgt van knoflook of kruiden. **aroma's** Rode bessen, kers, specerijen.

proeven & ruiken Schatten zijn het, de mensen van Vindict. Eigenlijk zie je ze vanwege hun online karakter nooit, totdat ze met hun brommerautootjes de wijn bij je komen afleveren. Dan zijn ze namelijk ook zo genereus om je lege flessen mee retour te nemen. Ha, dat onthoud ik als ik voor *Cuno 2010* ga proeven. Dit jaar waren het 'slechts' 2000 lege flessen. Mierzoet is deze beerenauslese. Druiven die zorgvuldig met de hand geselecteerd worden om er daarna een perfecte dessertwijn van te maken. Dé begeleider van mooie desserts. **eten** Knapperige schuimdesserts, appeltaart, perentaart. En soms bij een stukje chocolade. **aroma's** Tropisch fruit, peer, abrikoos.

Groot Parys
Die Tweede Droom Chenin Blanc 2007

ZA PAARL	12,5%		
750 ML	€ 7,45	SMS 1259	

Fire Engine
Red 2005

ZA PAARL	13,9%		
750 ML	€ 7,95	SMS 1260	

proeven & ruiken Udo Göebel, de man achter Winmatters, was ooit de beste vinoloog van Nederland en is nu als groot Zuid-Afrika-liefhebber voor zichzelf begonnen. En hij haalt pareltjes uit dat mooie land. Zoals deze uit Paarl van het Nederlandse echtpaar Eric Verhaak en Mariëtte Ras. Met recht een prachtige chenin blanc. Invloeden van galiameloen, gedroogde abrikoos en wat mineralen. Opgelet: geen gewone kurk, maar weer zo'n glazen stopje. **eten** Lichte visgerechten, maar ook traditioneel Zuid-Afrikaanse hapjes als biltong. **aroma's** Meloen, abrikoos, mineraal.

proeven & ruiken Licht en goed doordrinkbaar. Een wijn voor alledag, als we even geen zin in baanbrekende wijnen hebben. Veel rood fruit, ideaal om de avond mee af te trappen. **eten** Waar niet bij? Pizza, pasta, gehaktschotels, tomatensalades. **aroma's** Rode bessen, kers, bramen.

Lijstjes

Iedere gids heeft lijstjes en *Cuno 2009* kan natuurlijk niet achterblijven Daarom bieden we hieronder snelle, leuke en handige lijstjes, zodat je nog sneller weet welke wijn je waar moet halen.

Cuno's absolute favoriet

Alle wijnen in dit boek zijn bij mij favoriet. Er staat geen enkele wijn in die ik vanmiddag of vanavond niet in mijn glas zou willen hebben. Maar er is altijd één wijn die eruit springt. Vanwege zijn kwaliteit, z'n bijzonderheid, z'n doordrinkbaarheid en z'n goede prijs voor wat hij biedt. Dit jaar is dat:

José Maria da Fonseca - Domini 2004 uit de Portugese Douro - Verkrijgbaar bij Albert Heijn voor € 6,99

Ik liep per ongeluk tegen deze wijn aan bij Albert Heijn. Wat als eerste opviel was natuurlijk zijn afkomst: Portugal. Hoeveel Portugese wijnen komen we bij de supermarkten tegen? Niet veel. Toen ik hem in het glas schonk was het meteen raak. Domini biedt alles wat je zoekt in een wijn. Hij heeft karakter, een neus met veel geconcentreerd fruit, prachtige subtiele tannines en een juiste hoeveelheid hout die niet óp de wijn ligt, maar er netjes in is verwerkt. Z'n doordrinkgehalte is hoog en hij combineert met ontzettend veel gerechten. Waanzinnig! Ik heb inmiddels vier doosjes in de kelder staan. Gewoon, voor zo af en toe.

Het adres met de meeste topwijnen

Hoewel de meeste wijnen in deze gids uit de supermarkt kwamen, heeft toch de **wijnspeciaalzaak** weer gewonnen. Hier staan mensen die dag en nacht met hun vak bezig zijn. Mensen die dromen over wijn en speciaal voor jou naar verre oorden afreizen om dat ene speciale flesje bij dat ene speciale groezelige wijnboertje op te halen. Veruit de meeste wijnspeciaalzaken (die ik niet afzonderlijk in een hoofdstuk heb genoemd) zijn onafhankelijke winkels, vaak geleid door zelfstandig ondernemers. Een aparte vermelding verdienen de winkels van Les Généreux. Hoewel ze gezamenlijk inkopen, zijn ze allemaal volledig zelfstandig, maar ze hebben veelal een overeenkomstig assortiment.

Wil je weten welke afzonderlijke wijnspeciaalzaken je favoriete wijn verkopen? Kijk dan op blz. 12 van dit boek en maak gebruik van de handige sms-codes.

In welke winkel liggen de meeste Cuno's?

Waar moet je heen om de beste kans van slagen te hebben, oftewel: in welke winkel liggen de meeste wijnen die ik met één of meerdere Cuno's heb gewaardeerd?

- Alle wijnen verkrijgbaar bij de wijnspeciaalzaken die ik geproefd heb, leverden in totaal 38 Cuno's op;
- bij Albert Heijn liggen er maar liefst 22;
- Gall & Gall doet het met 18 Cuno's;
- Wijnkoperij de Gouden Ton heeft eveneens 18 Cuno's;
- de Hema: een waanzinnig resultaat met 17 Cuno's;
- Grapedistrict: jonge honden, goed voor 14;
- Mitra heeft ook 14 Cuno's;
- Dirck III Slijterijen gaan steeds beter met 13 stuks;
- Jumbo: *not bad* met 10 Cuno's;
- en bij de natuurvoedingswinkels: verantwoorde wijn met totaal 9 Cuno's.

De afsluiters

De goede oude kurk begint langzaam terrein te verliezen. Gelukkig, moet ik bijna zeggen. Waarom zou je nog een echte kurk in je fles willen? Hij zorgt eigenlijk alleen maar voor narigheid. Als hij 'kurk' heeft, oftewel besmet is met TCA, kun je je wijn weggooien. Dood- en doodzonde. Uitsluitend bij wijnen die je langer dan drie jaar zou willen bewaren, is het slimmer om een echte kurk in het halsje te proppen. Maar voor de rest: gewoon een schroefdopje erop. En die zie je dus ook steeds meer als afsluiter van het goddelijke vocht verschijnen. Weg met de romantiek, gewoon schroeven. Is ie lekker snel open ook.

Verder kwam ik nog steeds te veel kunststofkurken tegen, in alle soorten en maten en met alle kleuren van de regenboog. Ik vind ze niks. Je kurkentrekker krijg je er haast niet uit. Ze vervormen vaak en zien er veel te goedkoop uit. En voor degenen die de fles niet in één avond opkrijgen: probeer zo'n kunststof plug maar weer eens terug in de fles te krijgen. Bijna niet te doen. Nee, doe mij maar zo'n gezellig schroefdopje. De romantiek bedenk ik er zelf wel bij.

Verantwoording

Wijn is een natuurproduct dat per fles onderhevig kan zijn aan de elementen. Hierdoor kan het best wel eens voorkomen dat een door mij aangeraden fles net niet aan je verwachting voldoet. 'Tant pis,' zeggen de Fransen dan; wij zeggen: 'Dikke pech.' Lekker weggooien en de volgende keer een nieuwe kopen.

In deze gids heb ik mijn uiterste best gedaan om zo volledig mogelijk te zijn. Toch maak ik onbedoeld ook wel eens een foutje, ligt een fles in het boek niet meer in de winkel of is er een prijswijziging doorgevoerd.

RODE WIJN

WITTE WIJN

Thanks, guys!

Vic, gappies, twintig jaar pas. Geen *Cuno 2009* zonder jouw doortastende adviezen en mijn eeuwigdurende eigenwijsheid. **Suus**, met lengte de allerliefste uitgeefster van Nederland onder de 1 meter 60. Van seks tot hoofdstukindeling, elk onderwerp hebben we aangestipt. **Lot**, je bent een topper, ken niemand die zo snel kan ontkurken, ik hoop dat de alcoholdampen je cirkelpenetratie niet zullen beïnvloeden! **Jaim**, je kon niet ontbreken, dank voor al je lieve hulp, je ellenlange geduld en de rest. **Jeroen**, thanks man, je was er vaak toen ik je nodig had. **Fam**, ik heb nog vaak heimwee naar onze proeverijen. Volgende keer duik je mee als we weer de traditionele Amstel Skinnydip doen. Nederlandse **wijnimporteurs** en **wijninkopers**, dank voor jullie verreikende voelsprieten. Zonder jullie kennis zouden zulke mooie wijnen nooit in de winkel kunnen liggen.

Speciale dank gaat ook uit naar Porsche Nederland voor het tijdens wijnreizen beschikbaar stellen van onze 'jongensdroom', de magische 911 (www.porsche.nl). Ik kan eigenlijk niet meer zonder. De Franse gendarmerie die altijd zo coulant was. De genereuze boys van Fred Stoeltie Brillen, die hun brillen immer passend kregen op 'de neus' (www.stoeltie.nl). And of course, the charming Wendy Narby for introducing me in her impressive Bordeaux network (www.insidertasting.com).